A mon père

Remerciements

Que soient ici chaleureusement remerciés tous ceux qui ont de près ou de loin contribué à l'élaboration de ce livre :
Clotilde Guislain, initiatrice du projet, pour sa confiance et ses judicieux conseils ;
Fauziya Kholti, pour son travail, son enthousiasme et son aide précieuse ;
Kitty Crowther pour sa complicité ;
Dominique Chauvet pour son efficacité ;
Eddy Devolder pour avoir fait diligence ;
Cristine Deliens, Anne-Françoise Mortiaux, Dominique Baudon, Kikie Crèvecœur, Mariska Forrest, Thérèse Jeunejean du journal *Le Ligueur*, le journal *Le Soir* et Martine Garsou de la Communauté française de Belgique pour les prêts de documents ;
Julie et Danièle Feron, Marie-Claire Lebrun, Michel Castelain, l'équipe de Milan pour leur aide sous les formes les plus diverses ;
Le musée d'Ixelles, l'école Saint-Henri, Bertie et Pascale Sepulchre pour leur accueil ;
Anne Casterman et tous ceux qui se reconnaîtront pour avoir, sans le savoir, nourri ce livre de leurs idées.

Patrick, Laurent, Fanny, Leila, Sylvain, Lucas, Jérôme, Sarah, Dido, Nora, Louise, Mira, Quentin, Guillaume, Jessica, Thomas, Rosalie, Aliénor, Saskia, Margaux, Chloé, David, Zoé, Gaspard, Emile, Henriette, Manon, Pablo, Maxime, Vitalie, Justine et tous les autres...

Merci également à tous les auteurs dont les ouvrages m'ont aidée :
Dessiner grâce au cerveau droit, de Betty Edwards, Editions Mardaga ;
Peindre en liberté, de Yves Desvaux Veeska, Editions Dessain et Tolra ;
L'aventure de l'art au XXème siècle, de Jean-Louis Ferrier, Editions du Chêne/Hachette ;
La place des artistes, de Christian Louis, Editions Cedrap ;
les dossiers de *Science et Vie Junior* (dossier hors série n°23 sur la couleur) ;
les revues *Dada*, Editions Mango.

Maquette : Eric Adam / Michel Vanherwegen
Conseil scientifique : Catherine Fache
Iconographie : Sophie Lay Suberbère

© 1997 Éditions Milan - 300, rue Léon-Joulin, 31101 Toulouse Cedex 100 France

Dépôt légal : 3e trimestre 1999.
ISBN : 2.84113.605.1
Photogravure : Graphocoop 47 Agen
Imprimé en Espagne par Egedsa - Sabadell

Geneviève CASTERMAN

COPAIN
DES
PEINTRES

Illustrations de Kitty Crowther et de Geneviève Casterman

MILAN

J'espère que ma peinture tiendra sans craquelures. Je voudrais me présenter devant les jeunes peintres de l'an 2000 avec des ailes de papillon.

Pierre Bonnard

Sommaire

L'atelier parisien de l'artiste hollandais Piet Mondrian était dépouillé comme ses tableaux : c'était un "Mondrian". Tout y était blanc et parfaitement ordonné. Dans cet espace organisé de manière géométrique, les meubles mêmes avaient été peints par lui en blanc, en gris ou dans une couleur primaire, rouge, bleu, jaune. On raconte que Mondrian regrettait que le poêle soit rond - mais il fallait bien se chauffer ! - cependant, le cendrier et même la boîte d'allumettes étaient peints. Bien en vue, il avait mis dans un vase une tulipe artificielle peinte en blanc.

Dis-moi où tu peins...
je te dirai qui tu es !

Tout le monde, même ses enfants Wenzel et Jessyka et sa femme Eva, l'appelaient "Beuys". La famille Beuys vivait dans un appartement à Düsseldorf où le salon-salle à manger servait de pièce commune. C'est là que Joseph Beuys travaillait, parlait, rencontrait ses amis, prenait ses repas en famille. Il faisait volontiers la cuisine. Ses plats préférés étaient les lentilles et les haricots. Il connaissait aussi très bien les champignons.
Il portait toujours un chapeau de feutre, un Stetson, qu'il achetait à Londres ; c'était un peu comme sa signature.
Pour Beuys, l'homme et l'artiste ne sont pas séparés. "L'art c'est la vie et la vie c'est l'art" disait-il.

Organiser
son espace créatif,
préparer
son matériel et ses outils

Les ateliers des artistes ressemblent souvent à leurs œuvres et, sans doute, ta chambre te ressemble-t-elle également ! Tu trouveras ici quelques idées pour aménager ton espace à ton image. Tu pourras également exploiter des tas d'idées qui te seront données dans ce *Copain des peintres* pour l'améliorer, le transformer, le faire évoluer au fil de tes créations !

J'aménage mon espace

Si tu décides de peindre un paysage, sans doute installeras-tu ton matériel à l'extérieur, alors que si tu envisages de faire un portrait, tu chercheras plutôt un endroit "abrité" où te réfugier ! Le fait de peindre dans une petite mansarde ou dans un grand hangar donnera une dimension différente à ton travail... Il est donc important que tu décides d'un lieu à la mesure de ton projet ! Si tu ne disposes pas de beaucoup d'espace, pourquoi ne pas organiser un "atelier mobile" ?

Atelier d'un jour

Un "atelier à roulettes" ou une "armoire-atelier" te permettront de ranger ton matériel même sans disposer d'un espace permanent pour peindre. Tu n'auras plus alors qu'à le sortir de sous ton lit ou du placard, pour t'installer sur la table de la cuisine ou de la salle à manger ! Un atelier "de lit" pourrait aussi t'aider à trouver le temps moins long, les jours de fièvre ! D'autres peintres célèbres l'ont fait avant toi !

... ou atelier "pour toujours"

Si tu peux profiter d'un coin de chambre ou d'un petit espace à la cave, au grenier ou dans le garage, pourquoi ne pas y installer un véritable petit atelier de peintre ?
Quatre consignes à respecter impérativement dans ton installation :

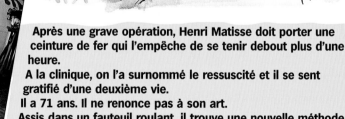

Après une grave opération, Henri Matisse doit porter une ceinture de fer qui l'empêche de se tenir debout plus d'une heure.
A la clinique, on l'a surnommé le ressuscité et il se sent gratifié d'une deuxième vie.
Il a 71 ans. Il ne renonce pas à son art.
Assis dans un fauteuil roulant, il trouve une nouvelle méthode : il découpe des papiers colorés.
Plus tard, obligé de rester couché, il dessine directement de son lit sur les murs au moyen d'un bâton de bambou dont l'extrémité est équipée d'un morceau de fusain.

1. la lumière

Installe ta table près d'une fenêtre, sinon prévois une lampe de bonne qualité en veillant à ce qu'elle éclaire la table par la gauche si tu es droitier, par la droite si tu es gaucher. De cette manière, les ombres seront projetées en dehors de ton regard.

2. un point d'eau

L'idéal serait d'avoir un robinet à proximité ! Si ce n'est pas le cas, prévois une caisse à poignée dans laquelle tu pourras transporter le matériel à nettoyer et veille à avoir toujours à portée de la main une réserve d'eau dans une cruche, un seau ou un grand récipient.

Pourquoi ne décorerais-tu pas toi-même la chaise ou le tabouret de ton atelier ?

4. une surface "protégée"

Certaines peintures ne s'enlèvent pas à l'eau, quel que soit le revêtement de sol de ton atelier, protège-le par un grand morceau de plastique ou des journaux.

Prévois également une protection de ton plan de travail s'il sert à d'autres usages dans la maison !

3. un plan de travail

Selon le projet que tu as décidé d'entreprendre, tu prévoiras une table (normale ou inclinable), un chevalet ou une simple planche pour peindre sur tes genoux. Quelques petites astuces pour organiser ton plan de travail : • des pinces à linge te permettront de fixer ton dessin • dispose ton matériel à ta droite si tu es droitier, à ta gauche si tu es gaucher, cela t'évitera de "survoler dangereusement" ton travail en cours de réalisation • ne pose jamais rien sur ta feuille, taches et auréoles n'étaient sans doute pas prévues dans ton projet !

Je crée et récolte mes outils

La sagesse populaire dit :
"Il n'y a pas de mauvais outils mais bien des mauvais ouvriers." Toutefois, il n'y a pas de bons ouvriers... sans outils !

Les accessoires du peintre

❶. **La palette** est une plaque de bois percée d'un trou - dans lequel l'artiste introduit son pouce - et qui sert à disposer et mélanger les couleurs. Par extension, on utilise ce mot pour désigner les couleurs habituelles d'un peintre.
Un morceau de bois ordinaire est la palette adéquate pour disposer tes peintures à l'huile et tes acryliques ; un bac à glaçons ou une assiette pour tes mélanges de gouache. Une petite astuce : pense à recouvrir ta palette d'un film plastique pour éviter que tes couleurs ne dessèchent !

❸.

Un range-pots
Un carton à œufs ou un porte-bouteilles feront parfaitement l'affaire.

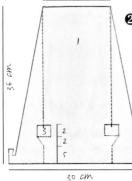

❷. **Un chevalet en carton**
Matériel : carton fort • cutter • crayon et règle plate. **Réalisation** : Reproduis sur un morceau de carton les gabarits (dessin 1). Assemble-les (dessin 2). Pose ton chevalet sur une table pour peindre à la verticale.

Privilégier la qualité...

Pour commencer ton atelier, inutile de dévaliser un magasin de couleurs ! Quelques pinceaux de qualité (d'épaisseurs différentes), quelques couleurs de base (qui, en se mélangeant, te permettront d'obtenir une infinité de tons différents) suffisent largement ! Certains artistes ont utilisé pendant des années une même couleur qu'ils ont exploitée à l'infini. D'autres au contraire ont exploré sans fin de nouvelles matières, de nouvelles surfaces, de nouvelles techniques ! Peu à peu, tu découvriras toi aussi le matériel qui te convient le mieux...

Petites astuces

• Coton-Tige : encrage •
Eponge, chiffons : tapotage,
nettoyage •
Pulvérisateur :
projection •
Peignes,
brosses, brosses
à dents :
grattage,
frottage • Couteau, truelle :
tartinage • Compte-gouttes :
projection • Chalumeau :
soufflage

... et grands moyens !

• Balais, racloirs : balayage de
grandes surfaces • Tiges de
bambou : encrage à distance

et/ou improviser !

Une vieille éponge peut remplacer un pinceau traditionnel, un peigne se métamorphoser en grattoir... Sois attentif. Change la fonction des objets pour les introduire dans ton atelier. Deviens un véritable peintre d'avant-garde ! Voici quelques idées d'objets facilement "récupérables" dans ton atelier.

❺. Un panneau de rangement

Récupère des barquettes en polystyrène (emballages de hamburgers) que tu décores et dans lesquelles tu ranges tes outils (gommes, taille-crayon, etc.).

❻. Une poubelle

Peins ou décore un tonnelet en carton.

❹. Un pincelier. Il te suffit de récupérer un pot de poudre à récurer vide. Remplis celui-ci d'essence térébenthine et laisse tremper tes pinceaux dedans afin qu'ils ne sèchent pas. Tu peux encore récupérer une spirale de carnet pour fixer tes pinceaux.

Un truc : pour éviter que la couleur ne sèche sur les bords de ton pot... pour préserver les poils de ton pinceau...

bâton
brochette

pot en plastique

spirale

verre

Je range mes dessins

Sécher, conserver, exposer aux regards, ou encore ranger tes réalisations, c'est le moment de faire le plein d'idées.

Où faire sécher tes œuvres ?

• sur un fil tendu à travers la pièce auquel tu fixes des pinces à linge.
• entre les pages d'un vieil annuaire téléphonique (convient très bien pour faire sécher les épreuves d'impression).
• sur un ancien porte-disques.
• pour toutes les techniques de peinture "à l'eau" (aquarelle, gouache, encres, acrylique) : à plat, par terre, à proximité d'une source de chaleur.

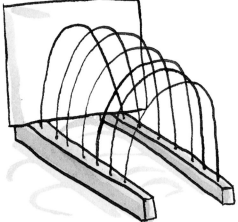

Ou les ranger

dans un meuble de rangement spécialement conçu à cet effet !

Ou encore les exposer

sur un panneau en polystyrène expansé (frigolite) ou en liège.
Tu épingleras tes réalisations les plus récentes ou les plus marquantes sur ce panneau !

Les conserver...

dans un porte-documents. **Matériel** : carton ondulé • colle • rubans • des ciseaux.
Réalisation : Il se réalise en un clin d'œil, il te suffit de suivre le schéma ci-dessous.

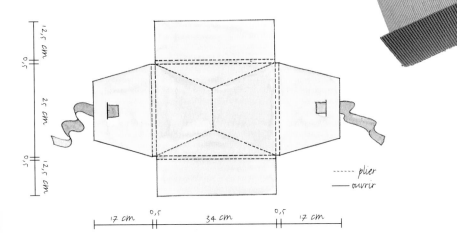

12,5 cm 0,5 25 cm 0,5 12,5 cm

------ plier
——— ouvrir

17 cm 0,5 34 cm 0,5 17 cm

Je soigne mon look

Bien sûr, un simple sac poubelle enfilé par la tête, ou une vieille chemise de papa protégerait tes vêtements, mais... il y a moyen de faire mieux !

Peintre pimpant

Pourquoi ne pas confectionner toi-même un véritable "tablier d'artiste" ?

Matériel : une pièce de tissu assez épais (pour que les taches ne le transpercent pas) que tu découpes selon le patron (dessin) • une seconde pièce en guise de poche • du fil et une aiguille. **Réalisation** : Couds ton tablier en suivant les instructions. Appliques-y un motif en feutre.

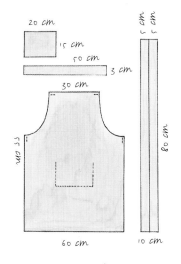

--- coudre

... et peintre coquet !

Grâce à ce béret et ce pinceau à cheveux, ton look de peintre sera complet !

❶ Un béret
Matériel : du feutre de couleur • du fil et une aiguille • des ciseaux • une bande de carton fort (longueur : ton tour de tête, largeur 4 cm).
Réalisation : Recouvre de feutre la bande de carton et couds entre elles les deux extrémités. Découpe dans la pièce de feutre un disque dont le diamètre est celui de ton tour de tête augmenté de 7 cm. Fais-le passer à l'intérieur et couds-le sur la bande de carton feutrée.
Ajuste le béret sur ta tête !

❷ Un pinceau à cheveux
Matériel : du carton ondulé • des ciseaux ou un cutter (pour découper et trouer) • un pinceau • de la peinture acrylique (pour décorer).
Réalisation : Découpe le carton selon le gabarit. Perce 2 trous à chaque extrémité. Décore selon ton goût. Introduis le pinceau dans les trous.

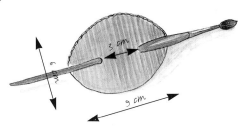

Choisir son support

Hé oui, peindre un carré de parchemin de 1 cm de côté et peindre une fresque murale de 2 m x 16 m, c'est un tout autre art, d'autres techniques, un autre matériel, d'autres contraintes... et un autre résultat !

Souhaites-tu privilégier la lumière, la matière, les contrastes ? Quelle technique de peinture préfères-tu ? Tu ne pourras pas peindre à l'aquarelle sur du bois ni dessiner au crayon sur une vitre !

Roi de la surface :
LE PAPIER

Du papier récupéré (journaux, emballages, publicités, serviettes, listings d'ordinateurs, mouchoirs, cartons, etc.) au papier à dessin en passant par le buvard, le calque ou le papier de soie : petits secrets de fabrication et grands secrets d'utilisations.

Les complices favoris du papier : l'aquarelle (page 82), le crayon (page 40), l'encre (page 88), le pastel (page 46), le feutre (page 58).

Pierre Alechinsky peint sur de très grands papiers dont il tapisse les murs ou recouvre le sol.

Fabriqué à partir de fibres de bambou, du mûrier et de bourre de soie, le papier apparaît en Chine vers l'an 105. Au VIIe siècle, les Arabes remplacent les matériaux de base chinois par les chiffons et le coton. En Occident, l'usage du papier ne s'est véritablement implanté qu'à la fin du Moyen Age. Le premier moulin à papier apparaît en France en 1350. Au début du XIXe siècle la pâte à bois vient s'ajouter aux pâtes à base de chiffons et rend possible la production industrielle de papier.

Il y a papier et papier !

Pour choisir un papier, il faut le connaître et surtout l'essayer ! Sois attentif aux différentes caractéristiques qui te permettront de choisir le "bon" papier :

• **lourd/léger** le poids ou le grammage indique ce que pèse un mètre carré du papier choisi. Un "80 g" indique qu'un mètre carré de ce papier pèse 80 g ! Plus un papier est lourd, moins il se déforme sous l'effet de l'eau. Un papier léger doit être tendu (page 87) pour éviter qu'il ne se bombe ;

• **lisse/grainé** la texture désigne l'état de la surface du papier ou le grain. Celle-ci dépend avant tout de la composition fibreuse et du mode de fabrication. Elle peut comporter plus ou moins d'aspérités, être plus ou moins grainée ou inversement tout à fait lisse. C'est la technique du frottage qui révèle le grain du papier ; • **blanc/coloré** la couleur dépend de la base du papier, de l'opération de lavage et de blanchiment subie ou non par la pâte ou de l'adjonction de colorants ; • **cher/pas cher** le prix varie en fonction du procédé de fabrication et des matières premières entrant dans la composition du papier.

Ce papier-ci est très doux

Le bon sens du papier

Le papier a un sens qu'il vaut mieux connaître pour ne pas le contrarier. Pour le connaître, il y a trois moyens :
• **le déchirer**. Le papier se déchire plus facilement dans le sens des fibres.
• **le rouler**. Il offre moins de résistance dans le sens des fibres.
• **le mouiller**. Il gondole dans le sens opposé à celui des fibres.

Donc, si tu dois rouler ou déchirer ton papier, respecte le sens des fibres.

Recto ou verso

Comment reconnaître l'endroit ou l'envers d'un papier ?
• **à l'aide du filigrane**
• **en regardant la trame**. Les grains du papier paraissent plus "ordonnés" sur l'envers que sur l'endroit.

Pas bête la guêpe !

Savais-tu que le papier fabriqué par les hommes est obtenu par un procédé semblable à celui qu'utilisent les guêpes pour fabriquer leur nid ?
Mais il a fallu plusieurs milliers d'années à l'homme pour le trouver.
La guêpe mâche des feuilles et étend ensuite au soleil la pâte de feuille et de salive en fines pellicules dont elle fabrique son nid. La cité de papier, solide, souple et isolante est ainsi prête à héberger plusieurs centaines de citoyennes.

L'incollable du papel'art

permet de retenir la mine ou le pigment. Un papier lisse convient aux feutres. La **couleur** peut également intervenir dans le cas du pastel ou du fusain.

Bouffant, torchon, vélin, vergé, bristol... il existe une multitude de mots pour désigner, qualifier ou nommer les papiers, selon leur procédé de fabrication (vergé, vélin, fait-main), selon l'usine, le moulin ou le lieu d'où ils sont issus (Hollande, Arches...), selon la composition de leur pâte (torchon, chiffon) ou encore les opérations qu'ils ont subies (collé, couché, apprêté)...

Pour ne pas te perdre dans cette forêt de papiers, un conseil : sache qu'un papier ne se choisit ni les yeux fermés ni les mains dans les poches.
Ouvrir l'œil, toucher, sentir le papier te livreront un tas d'informations utiles : ce papier est-il d'aspect mat ou satiné ? Est-il blanc,

légèrement teinté ou carrément coloré ? Regarde-le dans la lumière, comporte-t-il des traces (vergeures) laissées par la forme ? Est-il lisse ou grainé ? Est-il lourd, léger, épais, mince ? (page 21)

Certaines techniques et certains papiers sont incompatibles. Il importe de savoir ce à quoi tu le destines pour pouvoir bien choisir ton papier.

Pour les **techniques sèches** (crayons, pastels, fusain, feutres et stylo à bille), le critère essentiel de choix est **l'état de surface** ou la texture. Un papier à grain

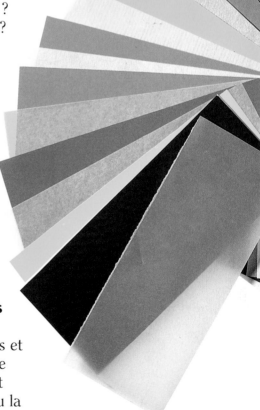

Papier Ingres, papier kraft résistant, papiers teintés sont l'idéal !

Pour toutes les **techniques nécessitant l'emploi de l'eau**

(aquarelle, gouache, encre...), c'est le **degré d'absorption** du papier qui est déterminant. (Tous les papiers qui sont destinés à être en contact avec l'eau sont des papiers collés.) **L'épaisseur** est également importante. Un papier trop léger (moins de 200 g) aura tendance à gondoler s'il n'est pas tendu... Pour la **texture**, elle est laissée à l'appréciation de l'artiste.

Certains préfèrent les papiers lisses (comme le bristol pour la gouache) tandis que d'autres choisiront un papier à grain en fonction de l'effet désiré. Papiers torchon, fait-main... conviennent parfaitement.

En ce qui concerne les **techniques d'impression**, c'est aussi le **degré d'absorption** qui est important. Il convient de choisir un papier absorbant, auquel l'encre adhérera. Si le papier est trop satiné, l'encre ne séchera pas bien. On peut également adopter des papiers très légers (pourvu qu'ils soient absorbants).

Pour les **techniques de peinture à empâtement** (huile, acrylique), c'est **l'épaisseur** du papier qui est primordiale. On veillera aussi à recouvrir le carton ou le papier fort d'une couche de préparation.

Pour tout ce qui touche au **collage ou au découpage**, c'est la **résistance** du papier qui sera examinée. Un papier trop collé, trop solide se déchire mal. Certains papiers peuvent être étirés (papier crépon) ou froissés (soie).

Enfin, pour le **décalquage**, c'est **l'opacité** du papier qui entre en ligne de compte (papier calque) tandis que pour protéger tes œuvres, tu choisiras un papier très léger comme le papier de soie, cristal ou pelure. Pour la **photocopieuse**, c'est le **poids** du papier qui importe. Celui-ci ne peut excéder 200g.

Fabrique toi-même ton papier

Fabriquer son papier à la main est une opération simple et passionnante.

Tu fais attention à mes doigts ?

• **Construis la forme**

Matériel : • un morceau de bois dur de 122 cm de long et de 5 cm X 4 cm • de la colle à bois • des vis et un tournevis • un morceau de Tergal blanc, tissé très serré, de 52 cm x 41 cm sans apprêt ou lavé • des clous et un marteau • une scie • quatre baguettes de bois : deux de la longueur du cadre, deux de la largeur.

Réalisation : Scie le morceau de bois en quatre parties : deux de 36 cm et deux de 25 cm. • Monte le cadre avec un assemblage à mi-bois aux quatre coins. • Colle et visse. • Recouvre le cadre avec le Tergal en le tendant au maximum (fais-toi aider !). • Cloue les baguettes par-dessus le Tergal.

Pas de voile là.

• Prépare ensuite la pâte à papier

Matériel : • une bassine • un mixer électrique • du vieux papier • facultatif : un maillet en bois (pour attendrir les fibres choisies) et une planche à découper.

Réalisation : Dans ta bassine, déchire en petits morceaux le papier de réemploi. Recouvre d'eau (environ 1/4 de papier pour 3/4 d'eau). Laisse ramollir jusqu'à ce que ton mélange devienne pâteux (quelques heures de patience). Broie ensuite la pâte avec le mixer afin de la rendre très lisse. A ce stade-ci, tu peux colorer ta pâte avec un peu de teinture ou y introduire des fibres

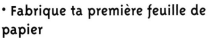

végétales (cerfeuil, céleri, paille) assouplies avec le maillet sur la planche à découper.

• Fabrique ta première feuille de papier

Plonge ta forme dans la bassine remplie de pâte.

Incline-la de gauche à droite et d'avant en arrière afin que la pâte se répartisse de façon uniforme sur le tamis.

Sors la forme de l'eau bien horizontalement.

Laisse l'eau s'écouler puis pose la forme dans un endroit chaud (près d'un radiateur ou au soleil).

Lorsque la feuille est sèche, retire-la délicatement du moule et place-la entre les feuilles de buvard et les deux planches en bois pour l'aplatir.

Reine de la surface : la toile

Travailler sur une "vraie toile" comme les "vrais peintres" ou détourner n'importe quel support tissé avec de la peinture acrylique ou de la peinture à l'huile : faut voir...

MLT (mouvement de libération de la toile)

Longtemps, la toile entièrement recouverte d'enduit et de peinture fut cachée. Des peintres laissaient parfois apparaître le grain ou des fragments de toile non peinte, mais c'était rare. Petit à petit, la toile s'est montrée. Elle s'est affranchie, libérée au point de ne plus être toujours tendue sur un châssis, de devenir réversible et lisible à l'endroit et à l'envers, d'être nouée, ficelée, trempée dans la teinture, enroulée, déroulée, chiffonnée, de se détacher du mur pour investir l'espace entier.

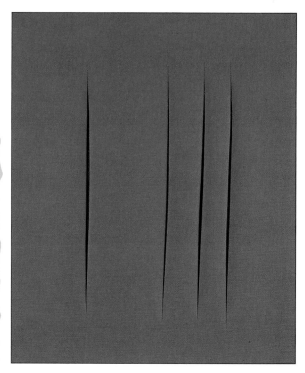

A l'époque de la création de ces toiles lacérées, beaucoup de gens crièrent au scandale, voyant là la mort de l'art.

Fontana, peintre italien né en Argentine, n'agit pas selon la tradition de la peinture qui consiste à ajouter de la peinture sur la toile pour figurer un espace. Lui, ne représente rien, mais en donnant un coup de cutter dans une toile monochrome, il ouvre un espace réel.

"Je ne veux pas faire un tableau, je veux ouvrir l'espace, créer pour l'art une nouvelle dimension, la rattacher au cosmos tel qu'il s'étend, infini, au-delà de la surface plate de l'image."

Lucio Fontana, *Concetto Spaziale*, 1966, huile sur toile, 65 x 54 cm.

Hit-parade des toiles

La durée de vie d'une œuvre dépend de la qualité de son support.

Plus solide sera la toile, mieux elle résistera au temps !

Recouvertes d'un enduit spécial, elles se vendent en rouleau ou montées sur un cadre en bois pourvu de vis qui permettent de les tendre sur le châssis.

Les toiles ont des trames diverses. Certaines sont plus fines que d'autres.

Le choix de la texture dépend du type de résultat que l'on veut obtenir.

Une trame grossière convient pour le travail d'empâtement tandis qu'une trame fine est plus indiquée dans le cas des glacis (pages 66-67).

- **la toile de lin** : la plus chère, elle est celle qui convient le mieux pour la peinture à l'huile (pages 64-65) car elle est tissée très serrée et ne contient pas de nœuds. Elle absorbe bien l'apprêt.
- **la toile de coton** : quand elle est prête à l'emploi, elle occupe la seconde position après la toile de lin.
- **le calicot** : toile de coton bon marché.
- **la toile de jute** est une étoffe grossière qui peut également servir de support.

Toiles à toutes les sauces

En adaptant les techniques du travail sur toile, tu pourras également travailler des supports "bien à toi" : sandales en toile, t-shirt et pourquoi pas un gigantesque calicot à suspendre au balcon de l'appartement ou à la fenêtre du premier étage pour souhaiter la bienvenue aux copains que tu as invités pour ton anniversaire !

Des draps de lit récupérés seront une base excellente pour concevoir des décors de théâtre...

Préparer sa toile

Avant de te laisser porter par ton élan créatif, il peut être important de connaître quelques opérations préalables.

• Si elle est très fine, on maroufle sa toile, c'est-à-dire qu'on la colle sur un support rigide (bois, carton...) : encoller · poser · chasser les bulles d'air · laisser sécher.

• On peut aussi la pendre sur un châssis :
1. couper la toile plus large que le châssis ;
2. poser, fixer un coin, puis l'autre, puis le reste ;
3 et 4. retourner et agrafer.

• Avant de commencer à peindre :
On recouvre la toile d'un apprêt, à chaud ; puis on applique une couche de fond destinée à protéger le support et à le préparer à recevoir la peinture.

Le prince de la forêt : LE BOIS

Pour peindre "comme les anciens" ou rhabiller la porte un peu tristounette de ta chambre : le bois est un support facile à apprivoiser...

Le bois, mais aussi ses "dérivés": le contre plaqué, l'Unalit, le M.D.F., se prête bien à la peinture à l'huile à condition qu'il soit préparé.

Les premières peintures à l'huile furent réalisées sur des panneaux de bois faits de planches soigneusement assemblées, recouvertes d'une couche de préparation très lisse à base de craie et de colle.

Le bois convient parfaitement aux "peintres en herbe" dont l'œuvre n'est pas destinée à traverser le temps !

Pour assurer son étanchéité, il faut l'enduire d'une couche de colle et recouvrir ensuite la surface d'un apprêt. Ces produits se vendent dans le commerce.

Avec le bois, tu utiliseras de préférence de la peinture à l'huile (pages 64-65) ou de l'acrylique (pages 70-71).

Evasion

Planche à pain, à voile, à repasser, plancher de ta chambre... Avec l'accord de tes parents, repeins une de ces planches en imaginant un paysage.

Pour que ta peinture tienne sur le bois, il te faut d'abord le poncer. Peins avec de la peinture acrylique (pages 72-73). Vernis ton travail.

Tout est support !

Depuis quelque temps déjà, les artistes se sont affranchis des supports traditionnels de la peinture. Un mur, un champ de blé, un trottoir, une surface vitrée, le corps, peuvent être supports.

A toi aussi, il peut arriver d'improviser un dessin sur une surface qui n'est pas destinée à cela : la nappe d'un café-restaurant par exemple, une vitre embuée, ta main...

Sonia Delaunay, *Maillot de bain à motifs imprimés*, 1928

Sonia Terck arrive à Paris en 1905 où elle épouse le peintre Robert Delaunay. Sonia Delaunay cherche à exprimer le rythme, la lumière et le mouvement. Elle crée des tissus et des vêtements aux motifs géométriques simples et vivement contrastés. Les couleurs pures s'opposent par contrastes simultanés. Ses "robes simultanées" sont "comme une peinture vivante".

"Je suis attirée par la couleur pure. Couleurs de mon enfance, de l'Ukraine. Souvenirs de noces paysannes de mon pays où les robes rouges et vertes, ornées de nombreux rubans, volaient en dansant."

Tondre la pelouse en décrivant des motifs, dessiner dans le sable, planter le maïs en suivant un schéma visible d'avion, colorer l'eau d'un lac ou d'une rivière, détourner le cours d'un ruisseau, tracer un cercle de cailloux... la nature est un support de création extraordinaire et illimité. C'est le propre des artistes du Land art de travailler dans et avec la nature pour réaliser des œuvres le plus souvent éphémères. Parmi eux, Andy Goldsworthy a fait du froid son objet de prédilection.

Andy Goldsworthy, *Cut into frozen snow, stormy...*, neige, 12 février 1988, Blencathra, Cumbria

Richard Texier, *Et tous les matins du monde*, télécarte d'art extraite des 7 cartons d'Aubusson "la petite suite des Droits de l'homme", collection l'art en carte

Les télécartes apparaissent en France en 1984 et des artistes sont sollicités pour les illustrer. Les cartes émises en nombre limité sont parfois numérotées et signées par l'artiste, comme pour l'édition d'une œuvre d'art. Richard Texier, jeune peintre français, a réalisé une série de télécartes dédiées aux droits de l'homme.

Claude Viallat, vitraux de la cathédrale de Nevers, 1994

Plusieurs artistes ont été chargés de restaurer les vitraux de la cathédrale de Nevers soufflés par les bombardements de la Seconde Guerre mondiale. Le peintre Claude Viallat a réalisé en 1994 les vitraux des fenêtres hautes du chœur.

Gaston Chaissac, *Personnage au grand œil bleu*, v. 1960-62, collage : fragments de papiers peints cernés d'encre noire sur papier kraft, 152 x 64 cm

Peintre et écrivain, Gaston Chaissac métamorphose tous les matériaux qu'il trouve et qu'il peint : vieux papiers découpés et déchirés, couvercle de lessiveuse, panier d'osier, pierres, débris de vaisselle...
Ses thèmes sont ceux des enfants, pour lui une peinture ne fait jamais trop enfantine et "si pour peindre on met le sérieux des grandes personnes ce n'est plus qu'un simulacre".

Art Brut

Privés le plus souvent du matériel du peintre traditionnel à cause de leur pauvreté ou de leur isolement, les artistes de l'"art brut" utilisent des outils, des matériaux et des supports de fortune : pages de calendrier, papier de toilette, murs de l'hôpital...

Ils sont étrangers aux milieux artistiques professionnels, par exemple parce qu'ils ne sont pas allés à l'école, ils sont enfermés dans des asiles psychiatriques ou en prison.

C'est le hasard ou les circonstances qui déterminent le choix du support !

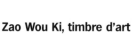

Zao Wou Ki, timbre d'art

Le peintre Zao Wou Ki est né à Pékin, il vit et travaille à Paris. Il semble se jouer des formats et des supports. Outre ses tableaux, il avait, avant ce timbre, illustré une étiquette de bouteille de vin et vient de réaliser pour un building à Singapour une grande composition de 10 mètres de long.

RÉPUBLIQUE FRANÇAISE   LA POSTE 1995

ZAO WOU-KI   6,70

Aiguise ton regard à repérer les objets "trans-formables" qui t'entourent et fais le tri des bonnes et des moins bonnes idées. (Demande quand même l'avis de tes parents avant de transformer la baignoire en baleine ou de peindre la porte du garage aux couleurs de ton club de foot favori !)

Aliénore, 8 ans

Je veux qu'il pleuve!

En vrac, quelques idées :

N'hésite pas à récupérer l'emballage (carton et polystyrène) du nouveau réfrigérateur, de vieux disques en vinyle, une carrosserie de voiture abandonnée, la boîte aux lettres, de gros galets ramassés à la plage, de la vaisselle dépareillée, des radiographies périmées, des cache-pot, des pinces à linge, d'anciennes photos... Tu pourrais aussi rajeunir une vieille paire de bottines en lui donnant un air coquin. Tu seras ainsi assuré d'avoir tous les regards à tes pieds.

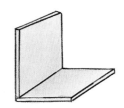

Peinture sur soi

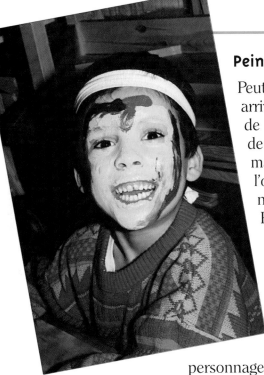

Peut-être t'est-il déjà arrivé, faute de papier, de noter un numéro de téléphone sur ta main pour ne pas l'oublier. Pratique, non ?

Pourquoi ne pas utiliser ton corps comme support de peinture ? Commence par tes mains : peintes en animal, personnage, elles peuvent s'animer pour un spectacle éphémère.

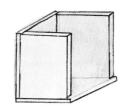

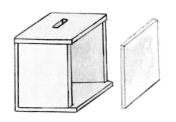

Vitrine à sous

Tu rêves d'un voyage aux îles Marquises, d'un VTT, d'un bateau gonflable ?

Fabrique-toi une tirelire pour y glisser tes économies !

Décore la face transparente en dessinant à l'aide d'un feutre ce à quoi tu destines l'argent économisé. Puis, avant d'assembler, mets en couleur la surface arrière du morceau de verre avec de la peinture spéciale pour vitraux ou de la gouache à laquelle tu as ajouté un peu de produit de vaisselle. Voilà également un cadeau à faire et à personnaliser pour un copain dont tu connais le "rêve secret et momentanément difficilement accessible sans songer à faire de sérieuses économies" !

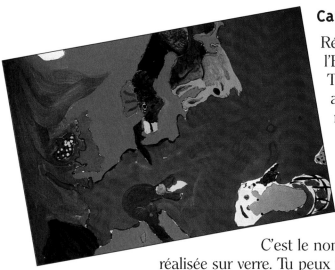

Cartographies

Récupère une carte du monde ou de l'Europe.

Transforme les formes des pays en animaux ou en personnages en respectant les frontières. Tu peux peindre directement sur la carte et de façon à ce qu'on puisse encore reconnaître les pays.

"Souwère" ou "fixé"

C'est le nom de la peinture populaire africaine réalisée sur verre. Tu peux toi aussi l'adopter.

Fais découper chez le vitrier un morceau de verre. Dégraisse-le bien (en le nettoyant au vinaigre) afin que la peinture y adhère. Fais un dessin sur une feuille de mêmes dimensions. Reproduis-le ensuite sur la vitre à l'aide d'un feutre indélébile.
Retourne ta vitre et peins à la gouache (assaisonnée d'un peu de produit de vaisselle liquide) ou à l'acrylique.
Quand toute la surface est terminée et sèche, retourne ton dessin sur une feuille blanche puis sur un carton et assemble le tout à l'aide d'un scotch coloré.

Patrick, 10 ans

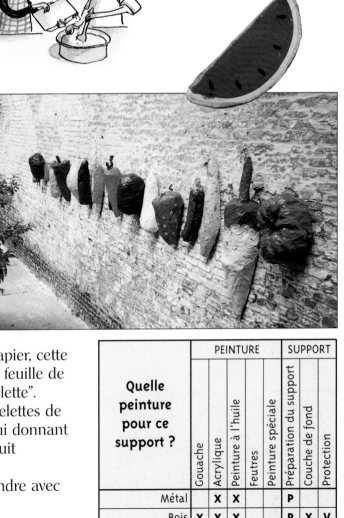

Mégafruits

Les mégafruits en papier mâché sont faits à base de papier journal, de colle à tapisser et d'eau.
Prépare de la colle selon les indications qui figurent sur le mode d'emploi de la boîte.
Déchire des bandelettes de papier journal.
En respectant le sens des fibres du papier, cette opération sera plus aisée. Froisse une feuille de papier journal pour en faire une "boulette".
Recouvre-la progressivement de bandelettes de papier journal enduites de colle, en lui donnant la forme (allongée, ovale, ronde) du fruit souhaité.
Laisse sécher 24 heures avant de peindre avec de la gouache.

Et pourquoi pas un bonhomme en papier mâché ?

Quelle peinture pour ce support ?	PEINTURE					SUPPORT		
	Gouache	Acrylique	Peinture à l'huile	Feutres	Peinture spéciale	Préparation du support	Couche de fond	Protection
Métal		X	X			P		
Bois	X	X	X			P	X	V
Verre	X	X			X	D		
Plexiglas		X						
Béton		X						
Photo			X					
Pierre, galet	X						N	
Peau					X			
Plâtre	X	X						
Polystyrène		X						
Caoutchouc		X						
Vinyle		X						
Plastique		X						
Terre cuite	X	X						V
Papier mâché	X	X					X	V
Tissus	X	X					X	R

Poncer, **V**ernir, **D**égraisser, **N**ettoyer, **R**epasser

Choisir et connaître sa technique

Ce matin, je me sens d'humeur jaune / gouache / papier / petit format !

Pas si simple évidemment...

De la même façon qu'on ne taille pas une pierre précieuse à la hache, on ne peint pas une toile de 20 m^2 avec un pinceau à 3 poils ! Chaque technique a son mode d'emploi, ses secrets de fabrication, son "bon usage".

Petit mode d'emploi pour

Tu choisiras de préférence
le crayon pour dessiner,
le pastel pour jouer avec les couleurs (à sec),
le fusain pour les effets de lumière,
les feutres et les stylos à bille pour leur facilité d'emploi,
la peinture à l'huile si tu es du genre patient,
l'acrylique pour sa rapidité de séchage et la diversité des supports qui l'acceptent,
la gouache pour son opacité,
l'aquarelle pour sa transparence,
les encres pour la précision, l'écriture et le dessin,
le collage comme procédé de composition,
les machines pour être dans le coup,
les techniques d'impression pour reproduire, répéter,
les techniques mixtes pour inventer en mélangeant.

mener à bien ton projet

Et puis ce n'est pas tout, avant de choisir une technique, il n'est pas indifférent de savoir
si tu es d'humeur espiègle ou méditative,
si tu aimes les détails ou si tu préfères les effets rapides,
si tu aimes "dessiner pour dessiner" ou raconter des histoires,
si tu aimes les couleurs "voyantes" ou si tu préfères les ambiances mystérieuses,
si tu te sens l'âme d'un "découvreur" ou celle d'un "décorateur",
si tu es casse-cou ou minutieux...
Alors, bien sûr, tu vas aborder ton choix en fonction de ton tempérament, de ton
humeur, du projet que tu as envie de réaliser, mais aussi du temps dont tu disposes, du
lieu que tu utilises, de ton budget !

Et ensuite, il ne te reste plus qu'à expérimenter, essayer, tâtonner, recommencer,
combiner, rêver, inventer, te tromper, te laisser surprendre !

Crayon

Le crayon convient particulièrement pour dessiner, pour décrire un sujet dans le détail ou pour l'esquisser (esquisse, croquis, schéma...).

Le dessin peut être une œuvre en soi ou une œuvre préparatoire.

Bonne ou mauvaise mine ?

Il est important de choisir son crayon en fonction de l'effet que l'on veut obtenir, selon que l'on travaille en noir et blanc ou en couleurs, que l'on veut esquisser ou détailler son sujet...

Chaque crayon porte un chiffre et une lettre qui te renseignent sur la qualité de sa mine. Retiens que la lettre H correspond à un crayon dur tandis que la lettre B correspond à un crayon tendre. Quant aux chiffres, plus ils sont élevés, plus la mine est dure.

Tu utiliseras de préférence un crayon dur pour réaliser un dessin technique tandis que le crayon tendre conviendra mieux au dessin artistique, au croquis.

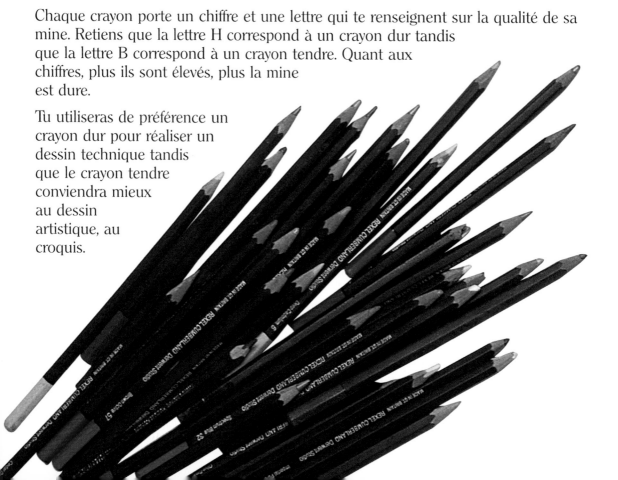

Le crayon à mine de plomb

Sa mine est lisse et glisse rapidement sur le papier. Il donne des gris remarquables mais pas de noir profond. Il laisse un trait brillant qui rend la reproduction difficile. Il se gomme relativement bien.

Le crayon aquarelle

Ce crayon peut être utilisé mouillé. Tu peux tremper la mine dans l'eau avant de dessiner ou encore passer un pinceau humide sur les traces faites sur le papier. Tu obtiens alors un effet de transparence proche de celui de l'aquarelle (page 82).

Les crayons noirs ou crayons "ordinaires"

Les crayons que nous utilisons le plus couramment sont faits à base d'un minerai qu'on appelle "graphite". Ils donnent en réalité un effet gris et se gomment facilement. La mine, composée d'un mélange d'argile et de graphite constitue la partie centrale du crayon.

Le porte-mine

Son avantage : il ne doit pas être taillé ! La mine sort progressivement du porte-mine.

Le crayon à mine de carbone

Sa mine donne un noir mat qui permet une reproduction fidèle. Son trait se gomme difficilement. Il accroche davantage le papier que le crayon à mine de plomb.

Les crayons de couleur

Ils contiennent une fine tige de pigments colorés agglomérés par une cire spéciale. C'est à la finesse de la cire, à la quantité de pigments colorés et à la souplesse du bois que l'on distingue les différentes qualités des crayons. Si la mine colorie intensément, facilement, elle est de bonne qualité. Les crayons de couleur se gomment difficilement.

Schéma

Croquis

Repentir

Silhouette

Une mine d'enfer, enfant de 9 ans

Esquisse

Silhouette

Etienne Silhouette était contrôleur des finances sous Louis XV. Les mesures qu'il prit en matière d'impôts furent si impopulaires qu'il rasait dit-on les murs et ne sortait qu'à la nuit tombée.
La silhouette désigne depuis une figure sans relief dont on ne retient que le contour.

Crayon - mode d'emploi

Les dessins de Saul Steinberg sont toujours remplis d'humour. Ils sont à la frontière entre la caricature, l'illustration, les dessins d'enfants…

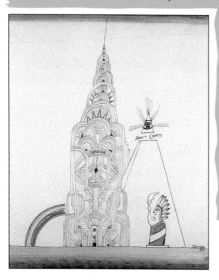

L'artiste se dit figurer parmi le petit nombre qui continue à dessiner après l'enfance comme les enfants sans la traditionnelle interruption de l'apprentissage académique. Steinberg est né en Roumanie. Il a étudié l'architecture en Italie, a émigré aux Etats-Unis en 1941 et ne cesse de voyager. Pour lui, "en se mettant dans la situation inconfortable de l'immigrant, on est de nouveau comme un enfant".

Saul Steinberg, *Chrysler Building*, 1965, crayons de couleur sur papier, 74 x 60 cm.

Effacer :

La gomme en caoutchouc ordinaire est efficace mais a tendance à faire des taches.
Préfère-lui la gomme en plastique dite "gomme blanche".

Faire des ombres :

En hachurant, en estompant, en appuyant plus ou moins fort sur le crayon.

Support :

Le crayon est recommandé pour les petits espaces, les petits formats. Le crayon "noir" peut se travailler sur un support lisse, comme le bristol, tandis que les crayons de couleur s'utiliseront plus facilement sur un papier à grain car le grain retient la cire (page 22).

Veille à ce que ton crayon soit toujours bien taillé sinon le bois risque de griffer la surface de ton papier.

"S.O.S. taches" :

Pas de panique. Une petite lessive et toutes les maladresses sont oubliées !

Faire "du blanc" :

En gommant la surface que tu souhaites voir "blanche"; c'est le papier qui fait alors le blanc !

Trucs et astuces

Une trousse à crayons futée :
Rien de plus facile que de se fabriquer une trousse à crayons futée. Un morceau de carton ondulé et un morceau de ruban que tu introduis dans les entailles faites dans le carton (toutes les deux ondulations).

Conserver, protéger :

Si tu as réalisé un dessin au crayon en larges aplats, tu peux "fixer" ton travail. Le fixatif se vend sous forme de bombe aérosol ou de vaporisateur à bouche. Il assurera une bonne conservation de ton dessin. Vaporise ce fixatif en plusieurs couches légères à 25 cm de ton sujet, en faisant un lent mouvement de va-et-vient.

Tu peux également protéger ton dessin au crayon à l'aide d'une feuille de papier cristal. Note bien que le fixatif n'est pas nécessaire pour un dessin réalisé au trait ou encore aux crayons de couleur !

Comment reporter ?

Quelquefois, il peut être bien utile de pouvoir reporter un dessin au crayon. Plusieurs méthodes sont possibles.

Le décalquage

Pose une feuille de papier calque sur le sujet à décalquer. Traces-en le contour au crayon. Retourne-le. Ombre le contour en le hachurant au crayon. Pose le papier calque à l'endroit sur une nouvelle feuille et repasse sur le contour avec une mine pointue et en appuyant très fort. Le dessin sera reproduit sur la feuille.

La méthode de la vitre

Pose ton original contre une vitre et place une feuille blanche pas trop épaisse (80 g) par-dessus. Le sujet sera visible par transparence et tu pourras le contourner.

La mise au carreau

Quadrille le dessin à reproduire en carrés de 1 cm de côté. Sur une feuille également quadrillée en carrés d'une dimension choisie, reproduis fidèlement les contours, carré par carré.

Une mine d'idées à réaliser avec des crayons

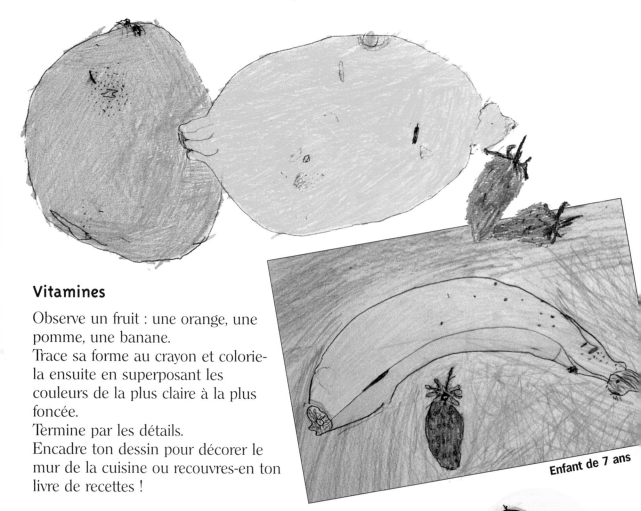

Vitamines

Observe un fruit : une orange, une pomme, une banane.
Trace sa forme au crayon et colorie-la ensuite en superposant les couleurs de la plus claire à la plus foncée.
Termine par les détails.
Encadre ton dessin pour décorer le mur de la cuisine ou recouvres-en ton livre de recettes !

Enfant de 7 ans

Maman, tu t'es trompée. Tu as pris le fixatif.

Trucs et astuces

Pour éviter les traces de doigts sur ton dessin, utilise un papier protecteur dont tu recouvres les parties dessinées et sur lequel tu peux poser ta main qui travaille • Attention ! Un crayon qui tombe par terre est un crayon à la mine cassée • Si tu n'as pas de fixatif, une bombe de laque à cheveux ordinaire peut faire l'affaire • Pour reconnaître tes crayons (ou tout autre outil t'appartenant) marque-les d'une manière qui t'est personnelle : une petite touche de correcteur liquide, un cran au canif, une nominette.

Une mine de papier froissé

Froisse une feuille de papier. Observe le réseau de plis : ceux-ci sont faits d'un entrelacement de lignes plus ou moins foncées.

Sans regarder ta feuille, à l'aide d'un crayon bien taillé, dessine les variations de direction, de forme de tous ces plis.

Toutes ces lignes peuvent t'aider à imaginer le sujet de ton dessin.

Cherche le monstre fripé, l'ogre affamé, le paysage tourmenté qui se cache dans le réseau de lignes.

Contourne-le en appuyant sur la mine de ton crayon.

Mine de rien

Voici un dessin amusant à réaliser le soir, dans le noir. Choisis une fenêtre (celle de ta chambre, de la cuisine...) qui offre une vue intéressante. Munis-toi de tes crayons de couleurs. La nuit, tous les chats sont gris, dit-on. Et sans doute ne distingues-tu pas, toi non plus les couleurs de tes crayons. C'est bien le but du jeu ! Dessine les différentes valeurs que tu perçois sans te soucier du crayon que tu prends. Superpose les traits, les hachures, les couleurs. Quand ton dessin est terminé, allume. Quels effets produisent les couleurs mélangées au hasard ?

Vous avez dit... patte ?
"Parmi les lignes de la peinture, découvrir la main, la personnalité hésitante ou décidée, sensible ou morne, mesurée, captivante, précise, brutale, raffinée, ouverte, affolée, souveraine."
Pierre Alechinsky.
La "patte" d'un dessinateur, c'est sa manière personnelle de dessiner, son style ou son écriture en quelque sorte.

Dessin à quatre mines

Une autre façon de mélanger les couleurs de tes crayons.

Attache quatre crayons, à l'exception du jaune, à l'aide de papier collant ou d'un élastique.

Avec ton crayon arc-en-ciel, essaie d'écrire une lettre (d'amour ou d'excuses).

Sers-toi de lui pour colorier plus vite une grande surface : en s'entrecroisant, les lignes donneront une nouvelle couleur.

Pastel

Ce bâton coloré, composé de poudre de couleur et de gomme ou de résine, est un véritable magicien : il allie la souplesse du dessin à la variété des couleurs de la peinture. Certains artistes s'en servent pour ébaucher un travail, étudier un mouvement ou répartir les masses de couleurs dans leur tableau, d'autres l'utilisent vraiment comme technique à part entière.

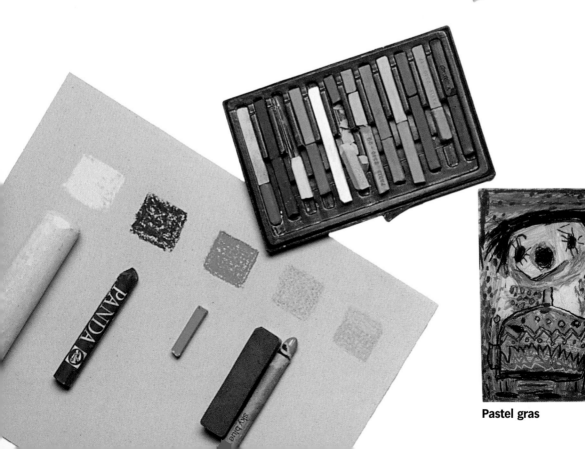

Pastel gras

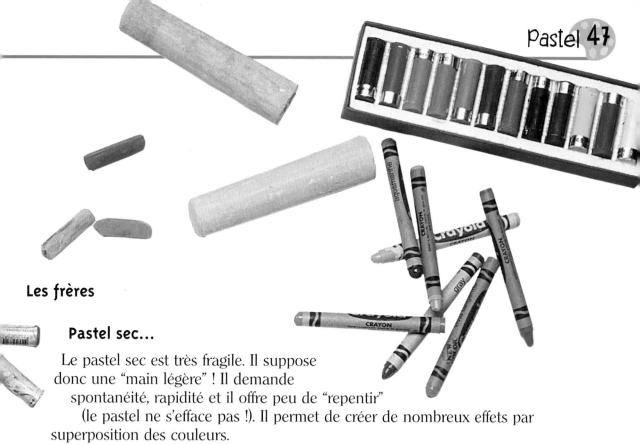

Les frères

Pastel sec...

Le pastel sec est très fragile. Il suppose donc une "main légère" ! Il demande spontanéité, rapidité et il offre peu de "repentir" (le pastel ne s'efface pas !). Il permet de créer de nombreux effets par superposition des couleurs.

... et pastel gras

Le pastel à l'huile ou pastel gras est fait d'un mélange de suif et de cire pour agglomérer les pigments. Son usage est plus aisé que celui du pastel sec car il est moins fragile. Il convient au travail en plein air car il est plus facilement transportable.

L'effet brillant qu'il produit est plus proche de la peinture à l'huile que du pastel sec. Tu peux l'étaler avec une brosse trempée dans de l'essence de térébenthine.

Comme il repousse l'eau, on l'emploie dans les techniques "réfractaires" (page 118). On l'associe à la peinture à l'eau (gouache ou aquarelle) pour créer des effets de matière.

Les faux-frères

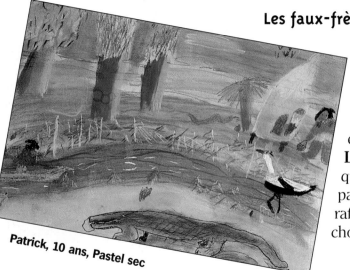

Patrick, 10 ans, Pastel sec

Le crayon à la cire ressemble au pastel à l'huile mais son extrémité est taillée en pointe. Les variétés bon marché se vendent comme crayons de coloriage pour les enfants.

La craie de couleur, comme celle qu'on utilise à l'école, ressemble au pastel sec. Elle est beaucoup moins raffinée mais permet beaucoup de choses.

Pastel - mode d'emploi

Conserver, protéger :

Avant de redresser ton dessin, souffle ou tapote ta feuille pour ôter les particules de pigments. Fixe ensuite ton dessin avec du fixatif. L'application d'un fixatif permet de stabiliser les pigments de pastel (page 43). Il est conseillé de ranger tes pastels entre des feuilles de protection, papier de soie ou de cristal.

Effacer :

Gare aux gommes : elles risquent d'abîmer ou pire encore de trouer ta feuille !
Tu peux, vaporiser un peu de fixatif sur ta feuille et superposer une nouvelle couleur sur la partie à corriger.

"S.O.S. taches" :

Une bonne brosse pour le pastel sec ou un tour dans la machine à laver pour le pastel gras, viendront à bout des taches les plus tenaces !

Support :

Le support convenant au travail du pastel est un papier à texture (comme le papier Ingres) qui permet de retenir les particules de pigments. Les papiers demi-tons (gris-bleu, gris-beige, chamois) sont recommandés pour les nuances délicates qui apparaîtront par le travail "en réserve" (page 84), tandis que les papiers foncés conviennent aux contrastes violents.
D'autres supports conviennent également au pastel : papier à tapisser, journal imprimé, papier teinté, papiers collés, papier kraft... (page 22)
A toi d'expérimenter !

Trucs et astuces

Comment fabriquer soi-même ses pastels ?

Matériel :
• pigments (blanc de titane, d'argent ou de zinc, le jaune de cadmium citron ou foncé, l'oxyde de fer, le terre de Sienne naturelle, etc.) • eau • gélatine en feuille

Réalisation : 1. Pose ton pigment sur une plaque de verre. Ajoute de l'eau pour en faire une pâte épaisse. Ajoute l'agglutinant, dans ce cas, une solution de gélatine en feuille. 2. Mélange le tout avec une petite spatule jusqu'à ce que la pâte soit homogène. 3. Fais de petits cylindres en roulant la pâte sur une vitre. 4. Pose les bâtons à l'abri de la lumière et laisse sécher 24 heures avant de les utiliser.

Comment estomper ?

En estompant, tu obtiendras d'autres effets. Tu peux estomper avec les doigts, comme pour le fusain ou te fabriquer une estompe (pages 54-55).
Toutefois, il vaut mieux éviter de frotter trop souvent ton travail au doigt ou à l'estompe car cela rend la surface trop "léchée" et les couleurs "boueuses".

Faire du blanc :

Tu peux rehausser un dessin parfaitement fixé en ajoutant par-dessus des touches de pastel blanc.

Comment tenir son pastel ?

1. Pour faire des traces rapides, utilise le bout.
2. Pour obtenir des masses de couleur, emploie le pastel à plat.

David Tremlett se sert du pastel pour exécuter de grands dessins sur papier ou directement sur le mur. Il modèle le pastel avec les mains comme s'il était sculpteur. Il apprécie cette matière très naturelle aux tons retenus, ocre et gris, proches de la nature et qui lui rappellent ses nombreux voyages. Lorqu'il parcourt le monde, il tient un journal de voyage, note, dessine et enregistre ce qu'il voit et ce qu'il entend. De ces croquis d'objets ou d'ornements, il garde des formes élémentaires et abstraites, des signes qui sont comme des pictogrammes (page 136) de ses souvenirs.

David Tremlett, *Like a grain of sand on the roadside* (Comme un grain de sable sur le bord de la route), 1985, pastel sur papier, 203 x 264 cm.

Toi aussi, adopte le pastel !

Par hasard...

Choisis trois couleurs dont tu recouvres au hasard ta feuille de papier.

Vaporise une couche de fixatif à 25 cm de ta feuille, en faisant un léger mouvement de va-et-vient.

Choisis à nouveau trois couleurs et fais de même. Conserve une trace de la première couche en réservant une partie de ton dessin.

Recommence trois fois l'opération.

Choisis un sens à ta feuille puis sers-toi d'elle comme fond.

A l'aide d'un crayon-pastel, dessine par-dessus en utilisant les effets de couleurs ou de formes obtenus par hasard.

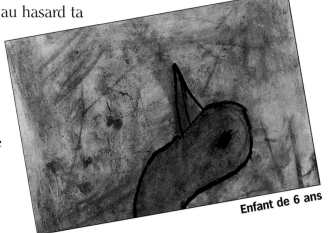

Enfant de 6 ans

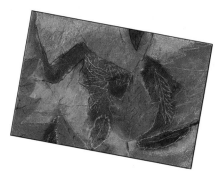

"A emporter"

Récupère un sac d'emballage en papier brun. Ajoutes des poignées. Décore-le au pastel et fixe-le soigneusement. Ranges-y tes affaires d'école.

Trucs et astuces

Comment teinter soi-même son papier ?

- Broie de petits morceaux de pastels cassés. Applique cette poudre sur ton papier avec un chiffon humide.
- Un lavis d'aquarelle peut également servir à teinter un fond destiné au pastel (pages 84-85).

Lâchez les fauves !

Fais sécher des feuilles d'arbres de couleurs et de formes variées.

Commence ta collection au printemps et poursuis-la jusqu'en hiver pour profiter des couleurs de l'automne.

Sur une grande feuille, fais-en une composition. Reproduis-la ensuite avec une gamme réduite de couleurs au pastel.

C'est pas la fête des mères !

En vitesse...

Choisis dans le programme de télévision une série ou un film d'aventure. Installe-toi face à ton téléviseur muni de pastels secs et d'une feuille de papier.

Et mon film ?

Brouille l'image. Capte les formes et les couleurs des images en mouvement et dessine-les. Zappe. Remplis tout l'espace de ta page. Comme les transitions sont rapides, il ne te sera pas possible de reproduire une image particulière.

Esquisse l'essentiel puis, d'imagination, rehausse les couleurs et les formes de ton dessin.

Un vent de pastel

Choisis une carte postale représentant un paysage en noir et blanc.

Interprète-le au pastel comme s'il était la proie d'une violente tempête ou d'un ouragan. Travaille avec rapidité.

Tableaux éphémères

Suspends dans ta chambre une ardoise sur laquelle tu fais un dessin à la craie. Quand tu l'as assez vu, efface-le et recommences-en un autre. Tu peux également offrir un mini-tableau à la craie accompagné du matériel adéquat (craies et chiffon) pour encourager un copain à dessiner. Tu peux encore te procurer un tableau noir comme à l'école.

Avec les mêmes craies, tu peux réaliser un grand dessin dans la cour de récréation.

Julien, 12 ans

Fusain

Tu aimes travailler les
grands formats et tu es
sensible aux nuances, aux
contrastes, alors, tu vas
apprécier le travail au
fusain !
Le fusain offre des noirs
intenses qui, estompés au
doigt, donnent toute une
gamme de gris, une infinité

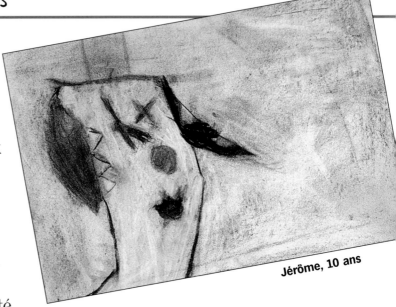

Jérôme, 10 ans

de modulations, de contrastes, de dégradés. Le fusain est donc tout à
fait approprié à l'étude de la lumière et des valeurs.

Le monde des valeurs

En fonction de l'intensité de la source lumineuse, une ombre peut
varier du gris au noir. On entre alors dans le monde des valeurs. Les
valeurs d'une couleur sont les nuances qu'elle peut prendre du plus
clair au plus foncé (page 141).
Mettre en valeur c'est d'abord observer, puis comparer, ensuite classer
et comparer à nouveau. Pour mieux distinguer les
valeurs, cligne des yeux comme si tu faisais
semblant de dormir. Les contrastes
s'accentuent et tu les perçois
mieux.

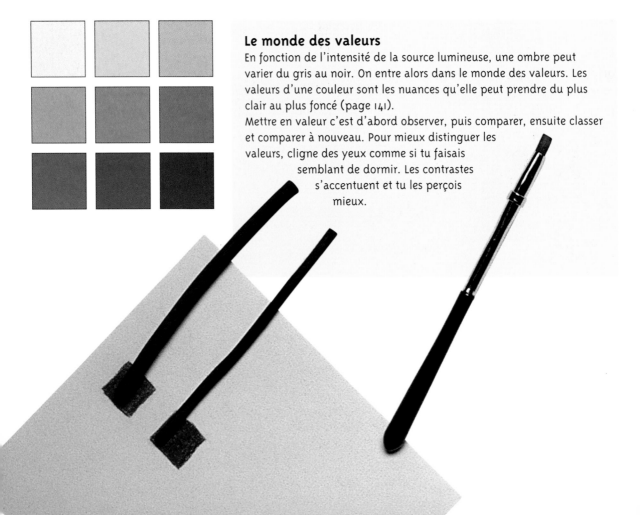

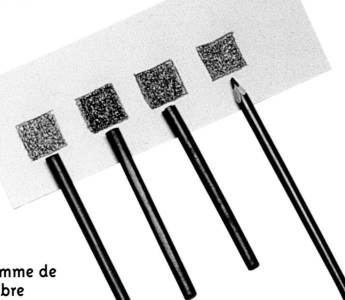

Le crayon Conté

Georges Seurat utilisait le crayon Conté. En le frottant sur un papier à gros grain (le papier Ingres), Seurat modelait ses sujets par les zones d'ombre qui les enveloppaient et non par leur contour.

L'homme de l'ombre

Le fusain est un bâtonnet de charbon de bois obtenu par combustion de bois de saule ou de vigne. On s'en sert pour ébaucher une composition comme pour dessiner.

Les fusains les plus épais permettent de couvrir de grandes zones, de tracer de gros traits. On a recours aux plus fins pour les zones plus petites, pour les traits fins ou les contours, ou encore pour rehausser les détails d'une composition. On distingue également différentes qualités de fusain. Les meilleurs glissent facilement et sont très tendres.

Je vais prendre un bain

Le fusain comprimé, comme son nom l'indique, est un fusain compact.

Le crayon-fusain se présente sous la forme d'un crayon en bois dont la mine est faite à base de charbon de bois comprimé. Il donne un tracé intense, plus brillant, plus profond et plus stable que le fusain. Il fut inventé au siècle dernier par la firme Conté. C'est pourquoi, on parle généralement de "crayon Conté" pour désigner un crayon-fusain.

Bouquet d'après nature. Enfant de 10 ans

Fusain - mode d'emploi

Support :

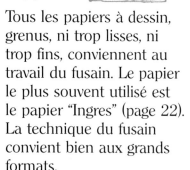

Tous les papiers à dessin, grenus, ni trop lisses, ni trop fins, conviennent au travail du fusain. Le papier le plus souvent utilisé est le papier "Ingres" (page 22). La technique du fusain convient bien aux grands formats.

Effacer :

Une trace au fusain peut s'atténuer à l'aide d'une gomme spéciale. La gomme à fusain est malléable comme de la plasticine. Tu peux lui donner la forme que tu veux. Tu peux l'affiner avec tes doigts pour obtenir une pointe comparable à celle d'un crayon.

Conserver, protéger :

Le fusain n'est pas stable : il produit une fine poussière. Pour le stabiliser, il est indispensable de lui appliquer un fixatif (page 43).

Comment estomper ?

Estomper revient à étendre le fusain sur un dessin. On utilise généralement un petit rouleau de papier terminé en pointe et nommé estompe (voir Comment fabriquer une estompe ?). Mais tu peux tout aussi bien te servir de tes doigts ou de la paume de ta main.

Comment obtenir le blanc ?

Tu te serviras de la gomme malléable pour créer des accents clairs dans une surface foncée. Une autre méthode consiste à laisser le papier apparaître en le réservant (page 84).

"S.O.S. taches" :

Pas de panique, ramoneur d'une heure, le fusain disparaît dans l'eau du bain.

Comment tenir le fusain ?

Brise le bâtonnet de fusain en deux ou trois morceaux. Le fusain doit être tenu de manière différente selon que tu veux réaliser des traits épais ou ombrer de grandes zones. Sans appuyer les doigts, en évitant qu'ils ne touchent la feuille, tu peux tenir ton fusain :
• à plat • sur la pointe (entre le pouce, l'index et le majeur).

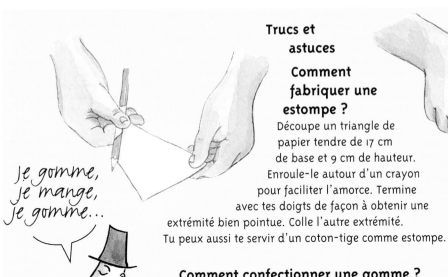

Je gomme,
Je mange,
Je gomme...

Trucs et astuces

Comment fabriquer une estompe ?

Découpe un triangle de papier tendre de 17 cm de base et 9 cm de hauteur. Enroule-le autour d'un crayon pour faciliter l'amorce. Termine avec tes doigts de façon à obtenir une extrémité bien pointue. Colle l'autre extrémité. Tu peux aussi te servir d'un coton-tige comme estompe.

Comment confectionner une gomme ?

Malaxe de la mie de pain frais entre tes doigts, et voilà, tu as entre les mains une gomme malléable !

Comment "nettoyer" un dessin au fusain ?

Tu peux débarrasser ton dessin des poussières de gomme en soufflant ou en le balayant avec une plume ou une aile de pigeon. Un chiffon sec peut également atténuer un tracé au fusain.

Comment tailler un fusain ?

On peut rendre le fusain pointu à l'aide d'un affûtoir (c'est un peu le taille-crayon du fusain) ou en le frottant sur un morceau de papier de verre.

David Nash, *Cube, Sphère et Pyramide*, 1993, fusain, 138 x 103 x 205 cm, 136 x 105 x 132 cm, 108 x 97 x 140 cm

David Nash est sculpteur. Ses grandes sculptures aux formes simples sont toujours en bois ; elles sont le plus souvent réalisées avec les arbres de sa région, le Pays de Galles, où il a décidé de vivre loin de l'agitation. L'arbre est pour lui symbole de vie. Nash emploie toutes les parties de l'arbre, même les petites branches qu'il brûle dans un foyer pour produire du charbon de bois. Avec ce fusain, il dessine ses projets et réalise aussi des dessins de grande échelle.

Fusanissimo

Portrait nuancé

Choisis dans un magazine un portrait en noir et blanc. Mets-le à l'envers.

A l'aide de fusain, noircis entièrement une feuille de papier.

En estompant (avec les doigts, la paume de la main ou une estompe) et en te servant de la gomme, reproduis les valeurs (gris clairs, gris foncés, blancs) de la photo. Commence par dégager les zones les plus claires et recompose ainsi toute l'image à la manière d'un puzzle.

Dido, 11 ans

Termine en ajoutant les détails.
Même si tu es tenté de le faire, ne retourne ton dessin que tout à la fin.
Corrige alors les derniers détails.
Fixe ton dessin.

Objets contrastés

Choisis et dispose devant toi des objets noirs, blancs et gris. Eclaire-les.

Choisis ta composition à l'aide de ton viseur (page 160). Observe ce que tu vois en clignant des yeux : que devient un objet blanc dans l'ombre ou inversement un objet noir dans la lumière ?

Sans tracer le contour des objets, commence par placer les valeurs plus foncées, puis les moyennes, puis les plus claires.

Sers-toi de ta gomme pour faire les reflets. Fixe ton dessin.

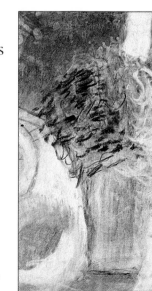

Enfant de 8 ans

Enfant de 6 ans

O.P.N.I. (objet projeté non identifié)

Pour obtenir l'ombre projetée d'un objet, il faut le placer entre une source de lumière (une lampe, une bougie) et un écran (un mur blanc, une feuille de papier). L'ombre projetée varie en fonction des déplacements effectués.

Choisis un objet. Projette son ombre et puis contourne-la. Déplace la lampe pour projeter une autre forme. Contourne-la. Superpose ainsi plusieurs ombres sur le même dessin.

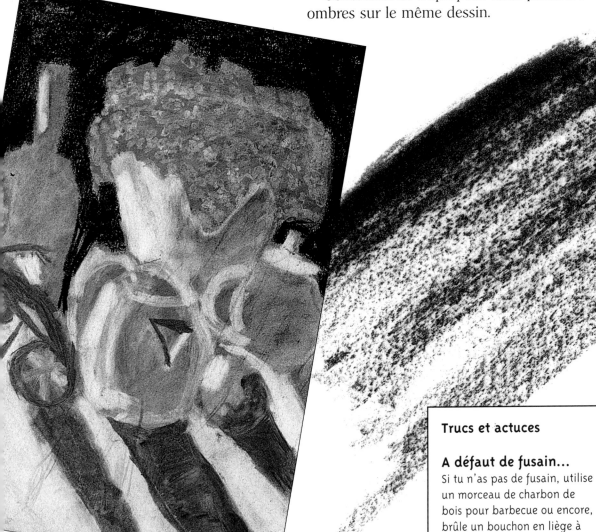

Dido, 11 ans

Trucs et actuces

A défaut de fusain...
Si tu n'as pas de fusain, utilise un morceau de charbon de bois pour barbecue ou encore, brûle un bouchon en liège à une extrémité et sers-t'en pour dessiner.

Feutres et stylos à bille

Ah ! Enfin une technique que tu connais bien ! Facile, rapide, pas chère, elle a tout pour plaire... Feutres et stylos à bille conviennent particulièrement aux croquis d'ambiance, aux dessins instantanés. Tu t'en serviras dans la salle d'attente du dentiste comme dans le bus, sur un coin de nappe au restaurant ou pour passer le temps lors de ta visite annuelle à la grand-tante de ton père "qui n'entend plus rien depuis 20 ans et qui est convaincue que tu t'appelles Emile".

Adrien, 7 ans

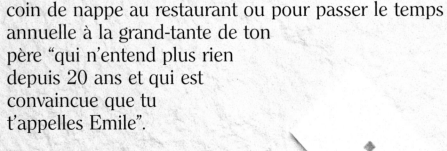

Enfant de 7 ans

Enfant de 7 ans

Points communs...
et différences !

Les feutres comme les stylos
à bille utilisent de l'encre.
Les feutres offrent une
gamme de couleurs variées
et translucides. Publicitaires
et graphistes s'en servent
pour réaliser leurs projets
(appelés roughs, lay-outs) ; les
dessinateurs de B.D. pour faire
des dédicaces, des cartoons ; et
toi, tu en as certainement dans ton
cartable !
L'encre des feutres est généralement transparente,
ce qui permet des superpositions.

Les feutres-pinceaux sont, comme leur nom l'indique, des
feutres dont la pointe souple est comparable à celle d'un pinceau.

Le stylo à bille, dont la gamme de couleurs est plus réduite,
convient quant à lui pour les dessins au trait, les croquis mais
également pour les dessins ombrés.
On peut s'en servir pour faire des traits, des hachures, des valeurs différentes.
C'est l'outil de prédilection du geste machinal, du griffonnage au téléphone.

Support :

Un papier lisse (genre bristol), non absorbant (pour empêcher les couleurs de transpercer), convient bien au travail du feutre car il lui permet de glisser sur la surface (page 22). Le stylo à bille peut s'utiliser sur n'importe quel support de papier. Entièrement recouvert, le papier ordinaire se met à gondoler de façon amusante.

Les premières œuvres de Dubuffet sont matiéristes : il associe les techniques les plus diverses. Un jour, au cours d'une conversation téléphonique, il laisse courir son stylo à bille rouge sur une feuille de papier. Les dessins semi-automatiques qui suivent cette expérience donneront naissance à "L'hourloupe", cycle de peintures, de sculptures en polystyrène et de constructions architecturales. En 1980, Dubuffet a 79 ans. Il a été souffrant et reprend le travail avec des dessins de petites dimensions et des techniques simples. Ses petits personnages sont proches des graffiti, des dessins d'enfants et de l'art brut (page 31). Jean Dubuffet est en effet un des premiers à s'intéresser à "l'art brut" et à lui donner son nom. Sa collection constitue le Musée d'art brut de Lausanne.

Jean Dubuffet, *Situation CXXIX* (D 222), 1980, feutre noir, papiers découpés collés sur papier, 35 x 25,5 cm.

Effacer :

Petit miracle : il existe des "correcteurs liquides" qui permettent de réparer les gaffes, de corriger et pourquoi pas de jouer avec les couleurs en les modifiant !

Conserver :

Pour éviter que les couleurs des feutres ne se décolorent, on peut utiliser un fixatif (page 43). Mais malgré cela, si tu souhaites dessiner pour les générations futures, mieux vaut sans doute changer de technique ! Petite précaution pour limiter les dégâts du temps : protège tes dessins de la lumière du soleil en les rangeant dans une chemise ou en les enveloppant d'une feuille de papier cristal.

"S.O.S. taches" :

L'encre peut être à base d'eau ou d'alcool. Certaines encres se détachent à l'eau : on dit qu'elles sont "non permanentes". D'autres pas : on dit qu'elles sont permanentes ou indélébiles. Dans ce cas, il faut utiliser de l'alcool pour les faire disparaître.

Trucs et astuces

prévention :
Veille toujours à bien replacer le capuchon sur tes feutres. Sinon, une couche imperméable - qui empêche l'encre de s'écouler - se forme et ils deviennent rapidement inutilisables.

soins :
Pour ranimer un feutre défaillant, verse sur la pointe, une goutte d'alcool.
Si c'est ton stylo à bille qui fonctionne mal alors qu'il contient encore de l'encre, frotte-le sur la semelle de ta chaussure. Il réécrira !

postcure :
Les vieux feutres secs peuvent être utiles pour produire des effets de texture ! Conserve également les capuchons de tes feutres usagés. Tu peux t'en servir pour tenir entre les doigts des morceaux de craie ou de gomme devenus trop petits.

5, 4, 3, 2, 1, feu(tre)... partez !

Mosaïque de hachures

Exploite la gamme de couleurs de tes feutres
de manière inhabituelle.
Pose devant toi une corbeille de fruits colorés :
pommes, bananes, oranges, pêches, etc.
Au lieu de dessiner les contours et de colorier les
formes, construis les volumes sans contour : crée-les
à partir de hachures de couleurs superposées, de tailles
différentes.
Les couleurs des feutres sont transparentes ;
ne crains pas de les mélanger.

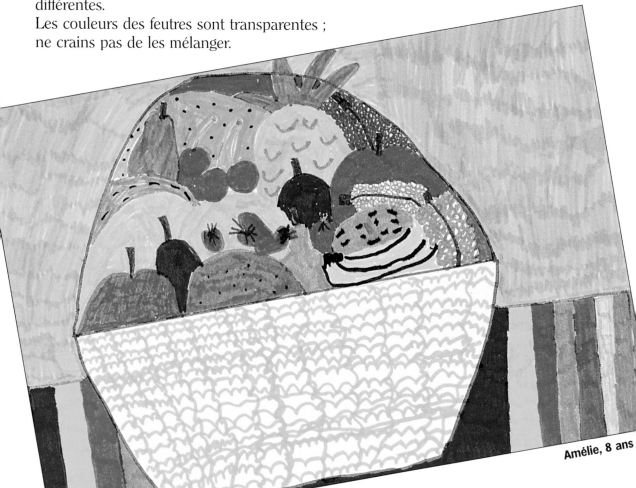

Amélie, 8 ans

Graffitimanie

Confectionne un petit carnet auquel tu attaches un stylo à bille à l'aide d'une ficelle. Dépose-le dans un endroit stratégique de ta maison qui se prête à une activité machinale, à l'attente ou à la réflexion (à côté du téléphone, dans les toilettes, sur la porte de ta chambre, etc.). Tu as bien sûr griffonné le premier un message pour inviter les autres membres de ta famille à en faire autant !

Au bout d'une semaine, d'un mois, d'un jour, récolte les graffiti, messages et dessins, réalisés au stylo à bille et fais-en une composition.

Ou encore agrandis les meilleurs à la photocopieuse.

Zoocollants

Réalise des dessins d'animaux de taille équivalente (5 cm) que tu colories avec tes feutres.

Découpe le contour exact de chaque animal.

Dans du plastique transparent autocollant, découpe des cercles plus larges que tes dessins (environ 7 cm).

Sépare ensuite le plastique transparent de son support. Colle chaque animal contre le côté autocollant du cercle.

Applique tes zoocollants !

Quentin, 7 ans

Peinture à l'huile

Aïe, aïe, aïe, pas question d'improviser... Avec la peinture à l'huile, tu peux tout faire mais le mode d'emploi est assez contraignant et l'apprentissage demande un minimum de patience. La peinture à l'huile est la technique la plus utilisée dans l'art occidental jusqu'à l'apparition récente de l'acrylique ; elle a été élaborée au XVe siècle, à l'époque de Jan Van Eyck.

Le secret de fabrication de la peinture à l'huile est le mélange de pigments de couleur, sous forme de poudre, et d'huile (de lin, d'œillette, de noix...). En mélangeant beaucoup d'huile et peu de pigment, la peinture est plus transparente, et inversement plus opaque si le mélange contient beaucoup de pigment et peu d'huile. Le procédé des glacis qui caractérise la peinture à l'huile consiste à superposer plusieurs couches relativement transparentes sur une première couche plus opaque créant ainsi des effets de profondeur inégalés. L'huile ayant la particularité de sécher lentement, il est possible de modifier certaines parties en cours de travail, mais il est nécessaire d'attendre avant de superposer une nouvelle couleur.

Ne privilégie cette technique que si "le jeu en vaut la chandelle" : un dessin particulièrement réussi que tu souhaites "immortaliser" par exemple...

Patrick, 10 ans

"Brossons varié"

Les **brosses** et **pinceaux** recommandés pour la peinture à l'huile sont en soie de porc ou synthétiques. Les brosses ont des poils durs et les pinceaux des poils souples. On les choisit en fonction de la forme de leur touffe, la qualité du poil, le manche, la taille.

La brosse plate et courte sert de préférence pour les aplats (surfaces unies) et les grandes surfaces.

La brosse plate et longue sert pour les surfaces nuancées.

La brosse en éventail sert pour faire des balayages légers.

On peut utiliser une **brosse ronde** pour les détails.

Le spalter (large brosse plate) sert pour les touches larges, les fonds, le vernis.

Les **pinceaux** sont en martre ou en petit-gris. Ils s'utilisent pour les détails.

On peut également appliquer la couleur sur le support avec des **couteaux** à peindre et autres **truelles**, des outils improvisés... et aussi les doigts.

Les couleurs se mélangent sur une **palette**.

"Mettez-m'en 3 tubes et 6 sticks, S.V.P."

La peinture à l'huile se vend aujourd'hui en **tubes**, une invention qui date du milieu du XIXᵉ siècle (page 189). Elle existe aussi sous forme de **sticks**, des bâtons semblables à des pastels, qui permettent de peindre à l'huile sans l'intermédiaire de pinceaux ou d'autres outils.

Laurent, 8 ans

Peinture à l'huile - mode d'emploi

Diluant

La peinture à l'huile nécessite l'emploi d'un "médium". Celui-ci sert à diluer la peinture pour lui donner une consistance qui facilite son application sur le support. Il est généralement composé d'un mélange d'huile de lin, ou d'œillette, d'essence de térébenthine et de résine. La règle en peinture à l'huile est de peindre "gras sur maigre". Cela signifie qu'on dilue la première couche avec environ 2/3 d'essence de térébenthine et d'1/3 d'huile, et qu'au fur et à mesure que les couches se superposent, on augmente le dosage en huile et en résine (plus gras).

Support

Tout support rigide ou semi-rigide et un minimum absorbant convient à la peinture à l'huile : toile, bois (Unalit, MDF ou contre plaqué), carton, papier...
Les premières peintures à l'huile furent réalisées sur des panneaux de bois : des planches de chêne soigneusement assemblées et recouvertes d'une couche de préparation faite de craie et de colle animale.
Quel que soit le support choisi, celui-ci doit être préparé, c'est-à-dire recouvert de colle et d'enduit.

SOS taches

Pour dissoudre les taches ou nettoyer les pinceaux, on utilise du white-spirit ou de l'essence de térébenthine.

Conserver, protéger

Pour protéger le tableau et rendre les brillances homogènes, on lui applique un vernis lorsque la surface est sèche depuis quelques mois. Le vernis à retoucher est le plus courant.

Trucs et astuces

En guise de palette, tu utiliseras une plaque de bois préalablement enduite d'huile de lin pour éviter que le bois n'absorbe toute l'huile des couleurs et des mélanges. Une barquette alimentaire en polystyrène peut aussi convenir.

Technique "léchée" ou "tartinée" : faut choisir !

Sur le support, tu commenceras par ébaucher une esquisse au fusain ou avec la couleur.
Pour obtenir un effet de profondeur, tu peux procéder par glacis en superposant des couches relativement transparentes sur une première couche de couleur opaque.
A l'opposé de cette technique axée sur les transparences, tu peux travailler la couleur de manière plus matiériste en empâtant, c'est-à-dire en posant la peinture en couches épaisses. Tu utiliseras alors plutôt une brosse ou un couteau.

Avec son pinceau

1. On peut toucher la toile violemment, rapidement, la taper, la heurter, la repousser...

2. On peut aussi la toucher plus doucement, la caresser, la palper.

3. Ou encore, l'effleurer doucement du bout des poils.

Mélange de couleurs

4. Deux couleurs peuvent se toucher dans le frais

5. Dans le sec

6. A l'arraché

Le choix des outils

7. On peut peindre à la brosse

8. Au pinceau

9. Ou au doigt

Dans ce tableau, il y a 27 allusions différentes à un balcon, dont beaucoup de références à des tableaux célèbres comme "Le Balcon" de Manet, tout à gauche. Peter Blake peint lentement. Il a travaillé deux ans sur ce tableau. C'est un maître de l'illusion et du trompe-l'œil : tout ce qui semble être des collages de photographies est ici peint à l'huile. Pour imiter davantage le collage, il peint certaines parties avec des empâtements épais de plusieurs millimètres. Il varie la technique suivant le tableau ou la reproduction qu'il "imite".

Peter Blake, *Au Balcon,* 1955-1957, huile sur toile, 123 x 91 cm

Sans toucher

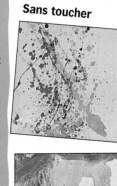

10. On peut aussi ne pas toucher la toile, en jetant la couleur dessus.

11. Ou en la laissant couler.

A vos huiles !

Un papa verni !

Ton papa fête son anniversaire dans trois mois ?

Voilà un délai suffisant pour entreprendre une peinture à l'huile à lui offrir à cette occasion ! Il est passionné par la moto, l'ordinateur ou les champignons ? Ton sujet est tout trouvé : il ne te reste plus qu'à réaliser son portrait "en situation",... à la cueillette des champignons ou à cheval sur sa moto !

Esquisse au fusain ta composition. Détermine les zones claires et les zones sombres.

Couvre d'une première couche l'entièreté de la surface à peindre dans une même tonalité. Veille à bien en doser l'intensité en fonction de la zone. N'oublie pas que pour un glacis, il faut que la peinture soit fort diluée avec un médium.

Son papa, par Thomas, 10 ans

Laisse bien sécher chaque couche avant de passer à la suivante. Une peinture à l'huile ne se fait pas en un seul coup ! Progressivement, jour après jour, ajuste ton sujet en demandant l'avis de ta famille pour la ressemblance. Pour effacer certaines zones, utilise un chiffon imbibé d'essence de térébenthine. Termine par les détails que tu peins avec un pinceau très fin. Laisse sécher.

Son papa, par Jérôme, 8 ans

Jérôme, 9 ans

La belle et la bête

As-tu déjà remarqué comme parfois certaines personnes ont une physionomie qui ressemble à celle d'un animal ?
Choisis une photo d'animal (un chien par exemple) et imagine le maître qui lui ressemble !

Patrick, 11 ans

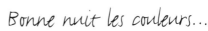
Bonne nuit les couleurs...

Quelles couleurs utiliser ?
Pour s'initier à la peinture à l'huile, il ne faut guère plus de 10 couleurs parmi lesquelles le blanc et le noir. (Prévois un tube blanc plus grand que les autres.)

Comment préserver ses outils ?
Evite de laisser tremper trop longtemps tes brosses dans un dissolvant. Nettoie-les au fur et à mesure que tu as terminé ton travail.

Trucs et astuces

Comment conserver ses couleurs ?
Pour éviter que les couleurs ne sèchent sur ta palette, recouvre-les d'un film plastique rétractable.

Acrylique

L'acrylique, c'est le 4x4 de la peinture ! Elle s'applique sur plaies et bosses, dedans comme dehors, hiver comme été...

Peinture à l'eau, elle sèche rapidement en devenant imperméable. Elle a une consistance douce et onctueuse. Comme l'aquarelle, l'acrylique permet de travailler en transparence ; comme la gouache, l'acrylique autorise la superposition de plusieurs couches.

"Tous terrains"

L'acrylique se vend en **pots** ou en **tubes**. La plus économique est la peinture destinée aux peintres en bâtiment.

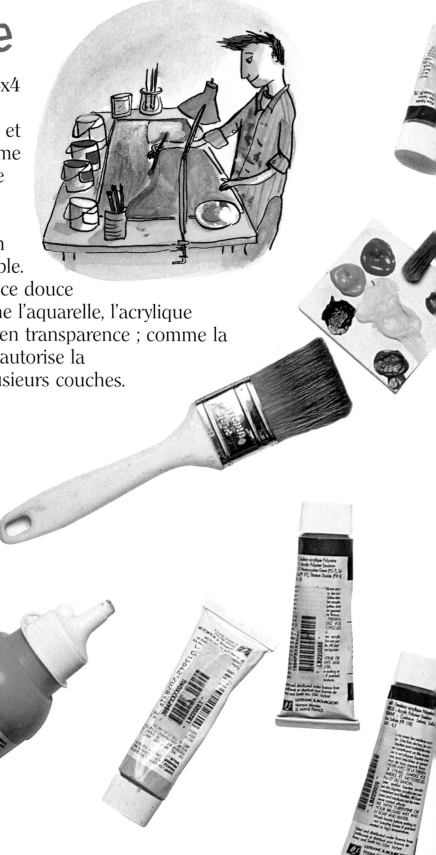

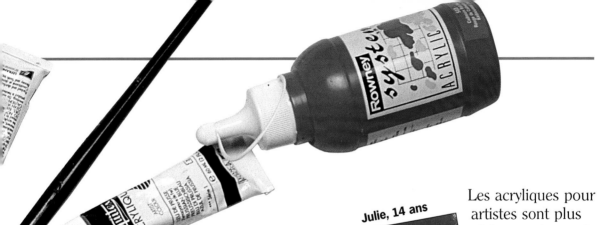

Les acryliques pour artistes sont plus chères mais aussi plus fines et plus belles.

La peinture acrylique s'applique avec le même type de **pinceaux** ou de **brosses** que la peinture à l'huile, mieux vaut toutefois ne pas les mélanger (page 65).

Julie, 14 ans

Viva Mexico !

L'invention de l'acrylique remonte aux années 20 au Mexique. A cette époque, le gouvernement mexicain avait commandé aux peintres Rivera, Siqueiros et Orozco des compositions murales destinées à des espaces publics en plein air. Ni la peinture à l'huile, ni la technique de la fresque ne convenaient à ce travail. Il fallait une peinture qui sèche rapidement, soit stable et solide. C'est dans ce contexte que l'Institut national polytechnique de Mexico a mis au point la peinture acrylique, une peinture dont le liant est une résine synthétique.

Ce nouveau matériau s'est répandu aux Etats-Unis dans les années 50 où il fut rapidement adopté par des artistes comme Jackson Pollock, Mark Rothko et Frank Stella. Tous le travaillèrent de manières différentes.

Diego Rivera a été un des principaux "muralistes" mexicains. Il a peint d'immenses scènes allégoriques et historiques au service de la révolution mexicaine à laquelle il participa activement. Les grandes compositions exécutées aux Etats-Unis et qui exprimaient ses options politiques marxistes ont suscité de vives polémiques.

Diego Rivera,
L'Indépendance, **1910,**
Fresque

**Tamponnage :
éponge sur fond humide**

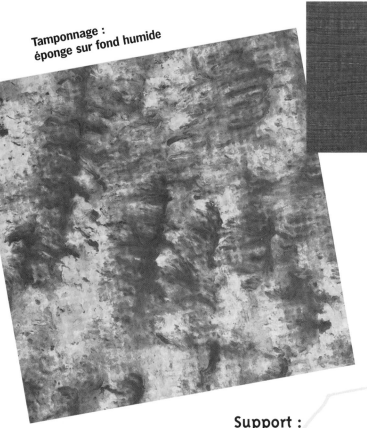

Aplat   Griffes : avec bâton

Acrylique

Effets de matière :

Aplats, griffages, collage, empreinte d'éponge : expérimente toutes les ressources de l'acrylique et d'outils improvisés pour rendre les différents effets de matières (page 15).

"S.O.S. taches" :

Pour dissoudre les taches d'acrylique ou nettoyer des pinceaux ou des brosses qui ont séché, utilise de l'acétone. (Tu peux également te servir de ce produit pour travailler des surfaces peintes afin d'obtenir des effets particuliers.)

Support :

Presque tous les supports conviennent à l'acrylique : papier, carton, bois, toile, béton, verre, métal... Elle s'applique sur toute surface absorbante. Il suffit d'éviter les surfaces grasses ou brillantes ou, comme dans le cas du métal, de prendre la précaution de les sabler légèrement et de leur appliquer un enduit acrylique.
On peut se satisfaire d'un carton ou d'un papier, pourvu qu'il soit relative-ment épais (pas moins de 200 g). Comme pour l'aquarelle, il convient de tendre le papier pour éviter qu'il n'ondule (page 87).

Diluant :

On allonge la peinture acrylique avec de l'eau. On peut aussi la mélanger avec un médium qui sert à retarder le séchage ou donner un effet de brillance (gel ou colle à tapisser par exemple).

Effacer :

Si tu t'es "trompé", attends que la peinture sèche, puis recouvre-la d'une autre couche.

Protéger, conserver :

Tu peux protéger ta peinture en lui superposant éventuellement une couche de vernis mat ou brillant.

Empreinte

Application au couteau

Frottis à sec :
peinture non
diluée

mode d'emploi

j'ai d'abord poncé, puis peint.

Un des premiers artistes à tirer parti des
couleurs acryliques fut l'Américain Frank Stella.
L'acrylique facilite la couverture de grandes
surfaces auxquelles elle donne un fini soigné.
Le peintre ne s'intéresse pas à l'expression ou à
la sensibilité. Pour lui "tout ce que l'on voit est
ce que l'on voit", autrement dit, il n'y a rien à
interpréter... Il recouvre mécaniquement la toile
de bandes de couleur avec une brosse de
peintre en bâtiment. On appelle "shaped
canvas" ces toiles dont le châssis a des formes
complexes.

Frank Stella, *Agbatana II*,
1968, acrylique sur
toile, 305 x 458 x
8 cm

Vas-y Mimi

La rentrée des boîtes

Collectionne les boîtes de conserve vides. Nettoie-les soigneusement, ôte les étiquettes et ponce-les avec un morceau de papier de verre pour que la peinture adhère. Décore-les en représentant les éléments qui doivent y être rangés : crayons, ciseaux, pinceaux...

A la conquête des murs

Le séchage très rapide de l'acrylique en fait la couleur idéale pour le pochoir. Dans ton quartier, entreprends une campagne en faveur de... la propreté, l'humour, la courtoisie... Fais un dessin pour illustrer ta campagne. Reproduis-le au feutre sur un morceau d'acétate transparent et évide-le avec une pointe à découpe. (Fais-toi aider : c'est une matière un peu difficile à découper mais solide et lavable, ce qui est bien pratique.) Applique ton pochoir sur un mur à l'aide d'une petite éponge trempée dans l'acrylique. Ou pourquoi pas égayer le mur de la salle de bains en le décorant d'une frise de motifs réalisés avec la même technique. Puise ton inspiration dans le folklore (africain, indien).

Dans cette école, les enfants ont fortement agrandi une photo de leur bouche pour réaliser une grande fresque collective à l'acrylique. Cette activité a nécessité plusieurs jours de travail.

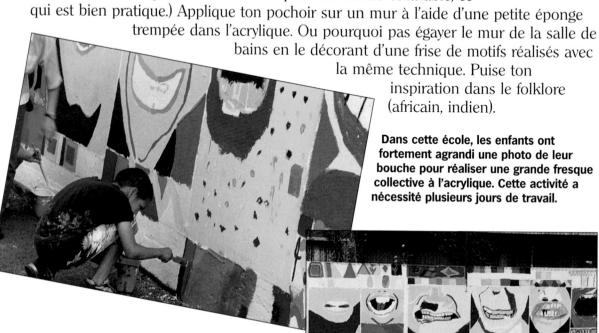

"Disques" tu aimes

Trois idées à réaliser en récupérant des vieux disques de vinyle comme support pour peindre à l'acrylique. Avant toute chose, recouvre-les d'une couche de fond (un enduit spécial).

Paysage panoramique : peins en rond de façon à ce que le début et la fin de ton paysage se rejoignent. Suspends le disque par son milieu à une ficelle que tu fixes au plafond de ta chambre.

Horloge artistique : divise le disque en douze parties égales et, dans chacun des quartiers, fais un dessin qui correspond à ton activité du moment (lever en fanfare à 7 heures, repas à 12 heures 30, etc.). Achète des aiguilles et un mécanisme d'horloge (à pile) que tu adaptes au centre de ton disque.

Poursuite des monstres : imagine un spectacle effrayant mettant en scène des monstres qui se poursuivent les uns les autres.

Fanny, 6 ans

Trucs et astuces

• **Comment nettoyer ses outils?**
La peinture acrylique sèche très vite en formant une pellicule solide ! Le matériel utilisé doit donc être nettoyé à l'eau chaude immédiatement après l'emploi.

• **Comment nettoyer une peinture à l'acrylique sèche, non vernie ?**
Utilise une éponge et du savon.

• **Quelle palette utiliser?**
Choisis de préférence une palette en plastique. La peinture s'enlèvera plus facilement que sur une palette en bois. Une assiette fera aussi bien l'affaire.

Gouache

Si tu aimes les couleurs vives et que tu cherches une technique peu coûteuse et facile d'emploi, tu seras sans doute bientôt un "copain de la gouache" !

Peinture qui cache...

Contrairement à l'aquarelle qui se travaille "en transparence" (page 82), la gouache permet d'obtenir des couleurs opaques (qui ne laissent pas passer la lumière). Elle est constituée des mêmes pigments que l'aquarelle mais ils sont broyés plus grossièrement.

La gouache est une peinture couvrante qui convient très bien au travail en aplat. En séchant, ta peinture acquerra un aspect lisse et satiné. Cette technique est idéale pour obtenir des effets par superposition de couches de couleurs.

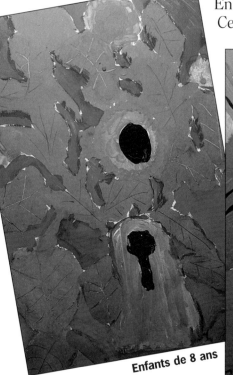

Enfants de 8 ans

Enfant de 9 ans

La gouache existe en **godets**, en **tubes** ou en **pots**. Les pinceaux requis pour la gouache sont souples, courts et ronds, le plus souvent en poils de martre ou de petit-gris. Mais on peut également appliquer la gouache à l'aide d'un rouleau en mousse (pour faire un aplat) ou au couteau comme pour réaliser des empâtements à la peinture à l'huile (page 66).

Gouache - mode d'emploi

Matisse nous explique : "Le papier découpé, le genre de volute que vous voyez accrochée sur le mur est un escargot stylisé. J'ai d'abord dessiné un escargot d'après nature, je le tenais entre mes doigts. Je dessinais et je dessinais. Je pris conscience d'un déploiement. Je formais dans mon esprit le signe purifié d'une coquille. Puis je pris mes ciseaux." Pour ce grand tableau, appelé aussi "Composition chromatique", Matisse a découpé un grand nombre de papiers de différentes couleurs et tailles. Ses assistants ont accroché les formes en les déplaçant jusqu'à ce que Matisse soit satisfait. "Le papier découpé me permet de dessiner dans la couleur. Au lieu de dessiner le contour et d'y installer la couleur, je dessine directement dans la couleur."
L'image de l'escargot est donnée par la spirale des formes carrées aux couleurs vives qui se détachent sur le fond blanc du papier.

Henri Matisse, *L'escargot,* 1952, papier gouaché et découpé collé sur papier, 286 x 287 cm.

Support :

Tous les papiers recommandés pour l'aquarelle conviennent pour travailler à la gouache (page 22) . Tu peux aussi utiliser du papier de tonalité foncée.
La gouache te permet également de travailler sur du verre. Dans ce cas, ajoute un peu de produit de vaisselle à ta gouache, elle se fixera mieux (page 34).

"S.O.S. taches" :

Comme pour toutes les peintures à l'eau, les taches de gouache sur les vêtements sont censées disparaître au lavage.

Diluant :

Comme l'aquarelle, la gouache s'applique avec un pinceau trempé dans l'eau ; elle peut également être appliquée à sec, au rouleau ou au couteau.

Effacer :

Si tu as fait une tache sur ton dessin, tu peux la faire disparaître en la grattant avec une lame de rasoir ou un cutter quand elle est sèche. Si elle est encore humide, tu peux la tamponner légèrement avec une éponge humide et puis l'absorber avec un papier buvard. Ou alors tu peux décider de la faire disparaître en superposant dessus une nouvelle couche de peinture.

Conserver, protéger :

En mettant ta peinture au mur, sous verre, dans un porte-documents...

Trucs et astuces

Dans quel ordre poser les couleurs ?

De la plus claire à la plus foncée. Si tu "débordes" sur une couleur claire avec une couleur foncée, le résultat sera moins net et tu devras tout retoucher !

Comment mélanger tes couleurs ?

Commence toujours par la couleur claire et ajoute-lui la couleur plus foncée. C'est l'idéal pour éviter les gaspillages : on obtient plus vite un gris clair en ajoutant un peu de noir dans le blanc... que l'inverse !

Comment éviter les "mauvaises surprises" au séchage ?

Ne superpose pas trop de couches sinon la peinture risque de se craqueler en séchant.

Attention ! La gouache s'éclaircit en séchant.

Penses-y quand tu prépares tes couleurs et fais toujours un essai que tu laisses sécher avant d'entreprendre un aplat.

Comment ouvrir un pot récalcitrant ?

Pour ouvrir un tube ou un pot de gouache, passe le bouchon sous l'eau chaude ou sous la flamme d'une allumette.

Comment réussir un aplat ?

L'aplat sert à teinter le fond d'un dessin. Le secret se trouve dans une bonne dilution de la gouache. Cela demande un certain entraînement !

Quand tu as préparé une quantité suffisante de couleur, applique-la en commençant au bord de la surface à peindre. Chaque passage de couleur doit être parallèle au précédent.

Si la consistance de la peinture est bonne, tu verras les traces se fondre l'une dans l'autre. Sinon, ajoute de l'eau ou de la gouache. Tu dois avoir terminé ton aplat avant que les traces ne soient sèches.

Il vaut mieux ne pas accélérer le séchage ni tenter des retouches. Cela provoquerait des taches dans la couleur.

Gouachons maintenant !

La gouache qui rit

Par la superposition des couleurs, la gouache permet d'obtenir un "rendu" très proche du réel. Commence par peindre ton sujet en choisissant un ton intermédiaire et continue ensuite en l'éclaircissant et en ajoutant les ombres. Termine par les détails.

Quelques idées d'attrape-nigauds à peindre : dessine et découpe au cutter une lame de rasoir chromée, un petit-beurre, un sparadrap, un mégot de cigarette, une clef, un faux fruit en papier mâché, un coton-tige usagé... que tu déposes négligemment dans un endroit saugrenu. Par exemple, la lame de rasoir dans le lit de tes parents, le petit-beurre sur le bureau d'un gourmand, le mégot sur la nouvelle toile cirée, la clef près de la porte, etc. Guette les réactions. Si tu entends des cris, c'est que ta peinture est assez réaliste et a fait illusion !

Enfant de 9 ans

Gouache qui rêve

Et si le pays de l'arc-en-ciel existait, à quoi ressemble-raient ses habitants, ses maisons ? Qu'y mangerait-on ? Comment seraient les paysages ? Que se passerait-il en automne ? sous la pluie ? en cas de neige ?... Prépare une palette composée des sept couleurs de l'arc-en-ciel : rouge, orangé, jaune, vert, bleu, indigo, violet.

Peins le pays de l'arc-en-ciel comme tu te le représentes !

Pablo, 7 ans

Gouache qui s'éclate

Réalise un dessin au pochoir (pages 208-209).
   Evide-le.

1. Prends une petite grille en métal sur laquelle tu
   étends de la gouache liquide.

2. Coupe à mi-hauteur les poils d'une vieille brosse
   à dents pour la rendre plus dure.
   Frotte-la contre la grille au-dessus d'une feuille
   jusqu'à ce que tous les petits trous de la grille
   soient débouchés.

3. Tu peux alors
   poursuivre au-
   dessus de ton
   pochoir et
   colorer ton dessin d'une
   fine bruine de couleur qui ne fera
   pas de taches.
   Décore ainsi le bord d'une nappe
   en papier d'une frise de motifs.

Gouache qui brille

Il existe de la gouache argentée,
dorée et même fluorescente (elle
se voit dans l'obscurité).
Sur un panneau, réalise une
peinture avec ces couleurs spéciales et fixe-le contre
le plafond de ta chambre : la nuit, elle brillera pour
toi seul.

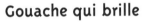

Aquarelle

Sans doute, les premières couleurs qu'on t'a offertes étaient-elles des aquarelles, tu sais, ces petits godets de couleur que l'on utilise avec un pinceau trempé dans l'eau ? N'en déduis pas trop vite qu'il s'agit d'une technique enfantine...

Technique de la transparence et de la fluidité, l'aquarelle permet également de jouer sur l'intensité des couleurs en fonction de leur plus ou moins grande dilution.
L'aquarelle est la technique de toutes les subtilités, des nuances et des ambiances diffuses.
Elle est assez délicate à manier parce qu'elle ne permet pas de repentir : impossible de revenir sur un coup de pinceau maladroit !
Il vaut mieux être spontané !

Une petite boîte à bijoux...

L'aquarelle est disponible en **tubes**, en **godets** ou en **pastilles**. Les godets et les pastilles sont les plus pratiques.
Range-les dans une boîte que tu auras joyeusement décorée à la gouache ou au collage. Les couleurs de l'aquarelle sont faites à partir de pigments finement broyés mélangés à de la gomme arabique. D'autres éléments tels que le miel ou la glycérine peuvent également entrer dans la composition de l'aquarelle.

Est-ce à cause du soleil que le lapin de Sarah rougit ? Est-ce parce qu'il est tout confus que le soleil rosit aussi ? Et qu'en dit le troisième ami, il est rose à demi ?

Les **pinceaux** recommandés pour l'aquarelle doivent être souples. Les meilleurs sont en poils de martre. Il en existe de moins chers en poils d'écureuil, de chameau ou de bœuf.
On trouve également des pinceaux synthétiques et des pinceaux de bambou.
Ils sont **ronds** ou **biseautés**.
Les **plus larges** conviennent pour les lavis.
Les **plus petits** servent pour les détails.

Aquarelle - mode d'emploi

Support :

On trouve une grande variété de papiers pour l'aquarelle (page 22). Un papier à forte texture convient mieux au lavis tandis qu'un papier plus lisse convient mieux à un travail au trait.

On peut également humidifier le papier avant de peindre à l'aquarelle, ce qui permet d'obtenir des dégradés de couleurs plus nuancés, ou au contraire utiliser un papier bien sec pour un travail plus précis, un dessin plus cerné. Dans ce cas, tu veilleras également à ce que ton pinceau soit le moins mouillé possible !

En principe, l'aquarelle convient mieux à de petits formats.

"S.O.S. taches" :

Comme toutes les peintures à l'eau, l'aquarelle ne provoque pas de dégât irréparable. Un petit tour dans la machine à laver et les taches sont oubliées !

Effacer :

Là par contre, pas de solution "magique". La trace laissée par ton pinceau sur ta feuille ne peut s'escamoter !

Tu peux l'atténuer tant qu'elle est humide en l'épongeant à l'aide d'un petit chiffon propre et sec, ou l'absorber à l'aide d'un mouchoir en papier. Si cela ne marche pas, il ne te reste plus qu'à transformer un petit accident de parcours en élément de ton décor !

Protéger, conserver :

Les peintures à l'aquarelle craignent la lumière. C'est pourquoi on les expose à l'abri des rayons du soleil et avec un éclairage faible. Une autre solution est d'adopter le carnet de croquis. Tes aquarelles seront ainsi à l'abri de la lumière et tu pourras les revoir comme quand on feuillette les pages d'un livre.

Blanc :

Il n'y a pas d'aquarelle blanche. Le blanc de ton dessin sera en fait obtenu par la couleur de ton papier. Tu travailleras donc avec une "réserve", un procédé qui te permet de protéger de la couleur certaines zones. Voici deux méthodes pour faire des réserves. Tu peux prévoir des **caches** pour masquer certaines parties de ton dessin. Tu découpes les caches dans du papier épais.

Pose-les ou colle-les avec du papier adhésif repositionnable aux endroits que tu veux laisser blancs. Tu peux aussi utiliser du **drawing-gum**. C'est une sorte de gomme liquide que tu appliques avec un vieux pinceau aux endroits que tu veux réserver. A la fin du travail, tu l'enlèves en frottant le papier aux endroits où tu l'avais appliqué. Attention, rince immédiatement le pinceau que tu as utilisé avec un peu d'eau et de savon.

La première œuvre abstraite de Kandinsky est une aquarelle et non une peinture à l'huile. C'est aussi la première œuvre abstraite du XXᵉ siècle. Wassili Kandinsky cherche à retrouver dans la peinture la même intériorité et la même force d'expression que dans la musique. Il est fasciné par la couleur et voudrait peindre uniquement avec des formes et des couleurs. La spontanéité et la rapidité d'exécution de l'aquarelle lui donnent la possibilité de s'affranchir de la représentation d'un sujet. Pour atteindre la même liberté à la peinture à l'huile, il lui faudra encore un an de travail acharné.

Wassili Kandinsky, *Sans titre*, 1910, aquarelle et encre de Chine sur papier, 47 x 65 cm.

Comment réussir un lavis ?

Le lavis en aquarelle est l'équivalent de l'aplat en gouache (page 79). Il sert à teinter le fond d'un dessin ou à mettre des éléments en valeur. Le secret de la réussite d'un lavis réside dans sa rapidité d'exécution. Mélange beaucoup d'eau à peu de peinture. Charges-en ton pinceau et conduis-le d'un bout à l'autre de la feuille. Tu verras qu'un dépôt de couleur se forme à la base de chaque ligne.

Ce dépôt s'estompera à la ligne suivante. Les lignes se fondent progressivement l'une dans l'autre. Tu peux faire des lavis sur fond sec ou légèrement humide. Dans ce cas, la couleur se diffuse davantage.

Jette-toi à l'eau !

**A l'eau ?
Allô ? Halo ?**

Expérimente tous les moyens pour peindre différentes surfaces d'eau.

- "mer déchaînée" : Pose de larges traces de lavis de vert et de bleu sur ta feuille. Peins sur fond mouillé, la couleur se diffusera mieux. Quand la peinture est sèche, rehausse-la de blanc. Pour cela, utilise de la gouache épaisse ou de l'acrylique que tu grattes avec le bout d'un pinceau pour donner l'effet de l'écume.
- "piscine" : Choisis un bleu turquoise vif (souvent la couleur du fond de la piscine) et un vert. Trace de larges traits de pinceaux que tu recouvres de lignes ondulantes irrégulières.
- "mare trouble" : Choisis un vert/brun que tu appliques par couches successives de lavis.
- "eau frémissante" : Pose d'abord un lavis de couleur bleue, puis fais des ondulations par-dessus en tenant ton pinceau chargé de couleur peu liquide à la base des poils. Ceux-ci, en s'étalant sur le papier laissent des traces très fines.

N'hésite pas à te servir de photographies pour accompagner tes recherches.
Découpe ensuite tous tes essais au même format.
Confectionne une boîte pour les ranger et donne un titre à tes mini-tableaux.
Montre ton exposition à tes copains.

Etiquettes gourmandes

Choisis une fleur ou un fruit et une gamme réduite de couleurs (2 à 3 que tu combines entre elles). Esquisse légèrement la forme générale au crayon. Frotte un pastel à l'huile blanc ou la cire d'une bougie aux endroits où tu perçois des reflets plus clairs. La cire résiste à l'eau et donc, la peinture ne reste que là où le papier est dépourvu de cire. Peins à l'aquarelle en superposant des lavis de même valeur et en laissant sécher chaque couche avant d'entamer la couche suivante. Tu peux ainsi réaliser de belles étiquettes pour décorer les pots de confiture de l'année.

Enfant de 11 ans

Comment tendre sa feuille de papier ?

Si tu travailles à l'aquarelle sur un
papier fin, il faut que tu le tendes.
En effet, l'eau fait onduler le papier,
ce qui est gênant en cours de travail.
Mouille abondamment (recto-verso) une
feuille de papier et pose-la sur une planche
en bois plus grande. Découpe quatre bandes de kraft gommé que
tu passes sous le robinet. A l'aide d'une éponge humide, lisse convenablement le
papier sur la planche et fixe-le au moyen des bandes de kraft (en haut et
en bas d'abord, à gauche et à droite ensuite). Laisse
sécher la feuille pendant plusieurs heures
sans t'en préoccuper ou accélère le séchage
grâce à un sèche-cheveux. Lorsque le
papier sera tendu, tu pourras le
travailler sans aucun risque qu'il
n'ondule.
Lorsque tu auras terminé ta
peinture, détache la feuille de
la planche en bois avec un
cutter.

Trucs et astuces
**Comment sécher ses
pinceaux ?**
Laisse toujours sécher tes
pinceaux les poils en l'air
(dirigés vers le haut).
Faute de pinceaux :
Eponges ou chiffons peuvent
se substituer aux pinceaux.

Tabl'eau

Choisis 5 ou 6 cartes postales de reproduction de
tableaux. Dessine une nouvelle composition à partir
d'éléments empruntés à chacune d'entre elles. Tends ton
papier et peins à l'aquarelle. Pour terminer, rehausse ton
dessin d'un trait d'encre de Chine.

**Les modèles de Bonnard, Degas, et Seurat en ont assez de
poser aujourd'hui. Ils sont de sortie ce dimanche après-midi.**

Encres

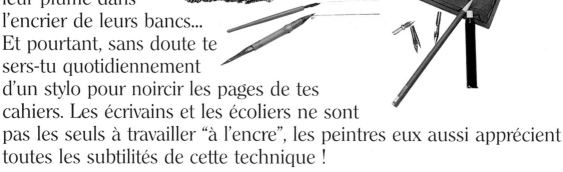

Il y a longtemps déjà que les écoliers ne trempent plus leur plume dans l'encrier de leurs bancs... Et pourtant, sans doute te sers-tu quotidiennement d'un stylo pour noircir les pages de tes cahiers. Les écrivains et les écoliers ne sont pas les seuls à travailler "à l'encre", les peintres eux aussi apprécient toutes les subtilités de cette technique !

En noir et en couleurs

La précision de l'encre de Chine, qui mieux que n'importe quelle autre, justifie l'expression "un noir d'encre", ou la vivacité des couleurs de l'écoline, permettent de réaliser des travaux tout en contrastes.

L'encre de Chine est l'encre des calligraphes et des dessinateurs au trait. La plupart des dessinateurs de BD, notamment, "tracent" leurs histoires à l'encre de Chine et les mettent ensuite en couleurs. C'est un mélange de noir de fumée, de gélatine et de camphre que l'on trouve dans le commerce sous la forme de **flacons,** de **tubes** ou de **bâtons solides**. Cette encre existe aussi sous forme de pâte.

Les **encres de couleur** sont des encres solubles à l'eau que l'on trouve en flacons, parfois munis d'un **compte-gouttes** ou d'une **pipette**. Elles s'utilisent comme des aquarelles. Parmi elles, les écolines.

Dido, 11 ans

L'encre peut être appliquée à **la plume**. Il en existe de nombreuses variétés : les **plumes d'oiseaux taillées**, **les plumes végétales** (telles que la plume de bambou ou de roseau) et **les plumes métalliques** (plume ballon, plume à profiler) dont l'emploi s'est généralisé au XIXᵉ siècle.

La plume métallique s'adapte sur **un porte-plume**. Selon la pression exercée, elle trace des pleins, traits larges, ou des déliés, traits les plus fins. La plume est particulièrement adaptée à un travail graphique, précis, de lignes, de points et de traits.

Calligraphie

En Chine et au Japon, l'écriture est un art que l'on apprend en copiant les Grands Maîtres. L'apprenti-calligraphe doit se concentrer profondément et contrôler sa respiration : en effet, il ne peut reprendre son souffle qu'au moment où il recharge sa plume d'encre. Pendant tout le tracé, il doit retenir son souffle. C'est de cela que dépend la qualité de la ligne.

L'encre peut également se diluer à l'eau et s'appliquer au **pinceau** sous forme de lavis. Dans ce cas, la technique et les effets produits sont semblables à ceux de l'aquarelle et les pinceaux ainsi que les supports recommandés sont les mêmes (pages 84-85).

Enfant de 8 ans

Encres - mode d'emploi

Pierre Alechinsky se rend au Japon en 1955, à l'instigation de son ami Walasse Ting, et tourne le film "Calligraphie japonaise". Il adopte l'outillage et les procédés des calligraphes extrême-orientaux et partage leur passion du papier. Sa peinture est comme une écriture : il étend un papier sur le sol ou sur une table basse, il est debout et circule, il se penche vers le support ; de la main droite il tient le bol d'encre, de l'autre, les pinceaux japonais à longs poils ; le corps tout entier est mobilisé.

Effacer :

Attention ! L'encre de Chine est difficile à enlever. Sur le papier, tu peux te servir d'une lame de rasoir ou de cutter.

Tu peux aussi plonger le coin d'un morceau de papier buvard au milieu de la tache.

Si le papier est très solide, applique de l'eau avec un pinceau sur la tache sèche et tamponne. Termine l'opération avec une gomme pour lisser le papier.

Et si toutes ces tentatives ont échoué, quand la tache est bien sèche, recouvre-la de correcteur liquide.

Les taches d'encre de couleur sont aussi pratiquement irréversibles. Tu peux toujours tenter de les atténuer à l'aide des procédés décrits pour l'encre de Chine. Mais le plus souvent, il est trop tard : la couleur a déjà teinté le papier !

Comment obtenir un gris à l'encre ?

Plusieurs métho- des sont pos- sibles. Tu peux utiliser la technique du lavis au pinceau qui consiste à diluer l'encre en quantité variable pour obtenir des tonalités de gris différentes. Si tu travailles à la plume, c'est la concentration plus ou moins grande de points, de lignes ou de hachures qui produit l'effet de gris. Si tes points, lignes ou hachures sont très clair- semés sur la surface, l'effet sera proche du gris clair. Plus ils seront concentrés, plus tu te rapprocheras du noir. En jouant sur ces différences, tu obtiendras des dégradés, des modula- tions pouvant aller du blanc au noir complet. Si tu travailles en couleurs, tu peux utiliser les mêmes techniques pour obtenir des dégradés. Si tu souhaites éclaircir ton encre de Chine ou tes écolines, tu peux donc les allonger d'eau. Toute- fois, fais-le dans un autre récipient que le pot d'origine. Collectionne dès lors les petits pots susceptibles de te servir, tels que capuchons de colle, minipots de confiture, boîte de pellicule photo, etc.

Support :

Un papier lisse du genre bristol, assez épais (200 g), pas trop absorbant, convient au travail du trait. Pour le travail du lavis au pinceau, utilise les mêmes supports que ceux conseillés pour l'aquarelle (page 22).

"S.O.S. taches" :

Sur les vêtements, les taches sont quasi impossibles à enlever, essaye avec du fiel de bœuf (se vend en droguerie).
Pour éviter les mauvaises surprises, un seul conseil : protège-toi avec un tablier. Sur les doigts, pas de panique : ça part !
Pour ce qui est des encres de couleur, les taches sont difficiles à enlever car le pigment est plus permanent.

Blanc :

Comme pour l'aquarelle, le blanc ne se dessine pas à l'encre. C'est la couleur du papier, les zones non recouvertes d'encre qui produisent le blanc (page 84).

Diluant :

L'encre se dilue à l'eau.

Conserver, protéger :

Pas de précaution particulière sauf si tu désires faire une œuvre pour la postérité. Dans ce cas, conserve-la sous une vitre.

Trucs et astuces

Comment entretenir tes outils ?

La plume doit être lavée et séchée chaque fois qu'un dessin est terminé, pour empêcher que l'encre ne durcisse ou que la plume ne rouille.

Comment "renforcer" ton dessin ?

Si tu veux mettre en valeur le contour d'une forme dans un dessin à l'encre de couleur, tu peux te servir d'un coton-tige trempé dans l'encre de Chine pour réaliser un "cerne".
Tu peux également rehausser d'aquarelle un dessin tracé à l'encre mais, dans ce cas, mieux vaut travailler avec des encres permanentes sinon elles risquent d'être effacées par la couleur mouillée.

Quelques idées à réaliser en noir et blanc

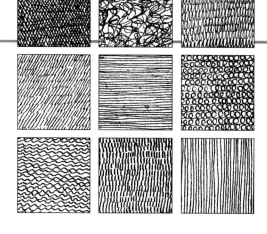

Dompteur de lignes

Le secret du travail à la plume c'est de prévoir quand on va manquer d'encre pour charger la plume à temps et obtenir un débit régulier. Apprivoise ta plume en jouant ! Au milieu d'une feuille, trace une ligne ondulée allant de gauche à droite. Puis trace d'autres lignes parallèles à la première en les rapprochant ou en les écartant à ta guise. Observe les effets de relief que donnent les écartements des lignes. Recommence en jouant sur les effets d'optique.

Des points, c'est tout !

Choisis une photographie en noir et blanc que tu aimes bien. Munis-toi d'une plume et d'encre noire. Reconstitue l'image en jouant sur la concentration des points d'encre. Forte accumulation dans les zones les plus foncées et éparpillement dans les zones claires. Réservé aux pointilleux et aux patients ! A l'inverse, interprète la même image au pinceau et à l'encre de Chine, sans dessin préalable, rapidement. Cligne des yeux pour accentuer les contrastes de noirs et de blancs. Peins sans diluer ton encre. Quand tu as terminé, tu constateras que ton personnage a gagné en expressivité. Il est presque devenu caricatural ! Voilà un bon moyen pour créer de nouveaux personnages de bande dessinée (pages 242-243) !

Carrément débile !

Dans des petits carrés de 3 cm, trace à la plume différents motifs : des hachures (traces obliques entrecroisées), des pointillés (points plus ou moins épais, clairsemés ou concentrés), des gribouillis (traits continus qui s'entrecroisent, se chevauchent). Puis agrandis-les à la photocopieuse, pour obtenir un très grand carré rempli de motifs dont tu peux te servir pour emballer tes cadeaux, recouvrir un classeur ou un cahier.

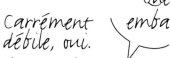

Carrément débile, oui.

Quel joli emballage

et d'autres idées à faire en couleurs

Dessinateur à la gomme

A main levée, dépose de la gomme à réserve (page 84) sur une feuille de papier pour former un dessin. Laisse sécher. Colorie la feuille de papier avec des encres de couleur. Quand celles-ci sont sèches, enlève la gomme avec tes doigts. Le contour du dessin apparaît alors en blanc sur le fond coloré.

Tu écris à ton petit copain ?

Virginie, 8 ans

Et, pourquoi pas des idées à l'encre invisible ?

Ecris un message secret sur un papier blanc avec un pinceau trempé dans du jus de citron. Laisse bien sécher. Pour déchiffrer le message, il suffit de passer le papier près d'une source de chaleur, une lampe allumée ou une bougie.

Collages

Ami poète, bonjour !
Le collage est une technique que tu vas
adorer : en associant, combinant, reliant
entre eux des éléments qui au départ
ne sont pas destinés à l'être, tu peux
créer des effets étranges,
insolites, humoristiques
ou poétiques.

"Si ce
sont les
plumes qui font
le plumage, ce n'est
pas la colle qui fait
le collage !"

Max Ernst

L'art de coller...

C'est une technique que tu peux explorer à l'infini : en assemblant toutes sortes de papiers (kraft, journal, cadeau, cristal, crépon, etc.), en les triturant, les chiffonnant, les froissant, les déchirant, les découpant mais aussi en utilisant des tissus, des éléments récoltés dans la nature, des lambeaux d'affiche, des objets usuels, des coquilles d'œuf, des légumes secs... Il y a collage et collage... Le collage est à la fois une technique d'assemblage à base de colle mais aussi un procédé de composition qui t'offre beaucoup de libertés.

"Colleurs" célèbres

Tout se prête au collage. Dubuffet réalisait des collages en ailes de papillon, Schwitters collait des tessons de bouteille, et Matisse du papier gouaché découpé.

... des papiers : le testament d'une poubelle

La vie quotidienne nous engloutit sous une masse de papiers : journaux, tarifs, prospectus, factures, lettres, cartes, tracts, papiers d'emballage, tickets, souches, publicités... Ta corbeille à papiers est donc une véritable malle aux trésors. Avec ces papiers de rebut, que tu choisiras pour leurs couleurs, texture, motifs, tu peux réaliser des tas de collages.

Enfant de 8 ans, des petits bouts de papiers colorés font la ronde pour le plaisir de danser.

...et des matériaux divers

Au cours de tes promenades, récolte tout ce qui te tombe sous la main ou sous les yeux (pourvu que ce soit autorisé). Emprunte à la nature des feuilles, des bouts de bois, des cailloux, des pétales de fleurs, des ailes de papillon, des plumes, des échantillons de terre, de sable, autant de trésors à conserver pour, un jour ou l'autre, les intégrer dans une de tes compositions. Classe le fruit de tes récoltes dans des boîtes à chaussures.

Collages - mode d'emploi

A chaque support sa colle :

La colle vinylique, la colle de reliure (à base d'amidon), la colle à tapisser conviennent pour le papier et le carton.

La colle Néoprène, la colle PVC et la colle Araldite conviennent pour le bois, le plastique, le cuir, le métal, le verre, le caoutchouc, le polystyrène. La colle cellulosique pour la céramique, la terre.
Ces différentes colles sont commercialisées sous forme de bâtons, de tubes, en poudre, en bombes, en flacons.
Tu peux également recourir à d'autres techniques d'assemblage : du fin ruban adhésif, des épingles, des agrafes ou, pourquoi pas, la couture.

"S.O.S. taches" :

Les taches de colle sur les vêtements, ça colle ! Si les taches de colle à tapisser, à base d'eau ou d'amidon, ne sont pas trop redoutables, par contre, les autres sont plus tenaces. Un seul remède : s'en protéger.

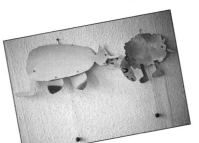

Protéger, conserver :

Tes collages risquent d'être assez fragiles. Il est donc prudent de les mettre sous verre ou de confectionner des "boîtes-expo" pour tes collages en volume.

Découper :

Pour le découpage, tu peux utiliser des ciseaux ou un cutter mais le meilleur outil est ta main. De même qu'une ligne dessinée à main levée est plus sensible qu'une ligne tracée à la règle plate, le profil d'une forme déchirée à la main est plus doux, moins brutal que si elle est découpée à l'aide d'une paire de ciseaux. Préfère donc le déchiquetage, le déchirage au découpage. Des caprices de la déchirure naissent parfois de nouvelles formes... Réserve les ciseaux, le cutter ou le Xacto (lame à découper) pour le découpage de formes précises.

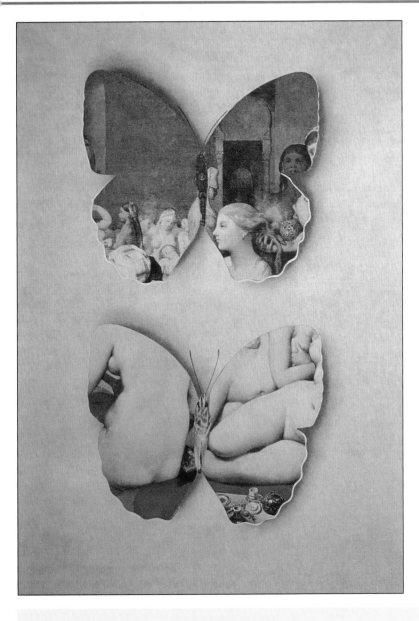

"Le monde vous assaille, vous déchire, vous refait. C'est pourquoi j'ai pensé que le collage était le mode d'expression le plus indiqué pour rendre cet état." Jiri Kolar est collagiste. Il découpe, divise, transforme, démultiplie. Il joue sur les œuvres célèbres, ici "Le bain turc" d'Ingres, et les réinterprète, les métamorphose. Souvent il fragmente ses images pour les composer en mosaïque. Jiri Kolar, d'origine tchèque, est aussi poète.

Jiri Kolar, *Le bain turc*, 1967, collage, 29 x 23 cm.

Trucs et astuces

Comment fabriquer de la colle ?

Pour fabriquer ta propre colle à papier, rien de plus simple : mélange 100 g de farine et 1,5 dl d'eau jusqu'à l'obtention d'une pâte lisse. Applique-la avec un pinceau et conserve-la dans un récipient fermé.

Colle comestible

Il t'est également possible de fabriquer une colle plus délicieusement comestible en mélangeant du sucre impalpable à de l'eau. Elle te permettra d'assembler des aliments… et de dévorer ton collage à belles dents!

Comment décoller ?

Pour décoller un timbre d'une enveloppe, laisse tremper celle-ci dans de l'eau tiède ; le timbre se décollera facilement. Fais-le ensuite sécher entre deux buvards sous un poids.

La colle, c'est cool !

Papiers déchirés

Crée un personnage à partir d'éléments déchirés dans des magazines, des prospectus. Réalise son portrait en n'utilisant que des éléments en rapport avec sa profession par exemple : un médecin fait de médicaments, un boucher fait de saucissons, un libraire fait de livres...
Variante sur le même principe : collectionne des images de magazines en les classant par thèmes : fruits, légumes, fleurs, chaussures, yeux, nez, bouches... Assemble les éléments de l'une de tes collections de manière à lui donner la forme d'un tronc d'arbre. Puis réalise le feuillage avec les éléments d'une deuxième collection. Tu obtiendras un arbre curieux fait de rouges à lèvres et de bouches, de nez et d'yeux ou...

Collage feuilleté

Entre les pages d'un gros livre, fais sécher des feuilles d'arbres d'espèces et de couleurs différentes. Commence ta collection de feuilles au printemps.
Une fois sèches, utilise-les pour composer un visage. Puis fixe-les à l'aide de fines bandes de ruban adhésif.

Enfant de 11 ans

Enfant de 10 ans

Enfant de 11 ans

Jungle

Rassemble toutes sortes de papiers de textures différentes et de trois ou quatre couleurs pour réaliser un décor de jungle.

Virginie, 8 ans

Outils d'aujourd'hui

Tu es "branché", "câblé", "connecté", aucun problème, tu as sûrement déjà exploré les possibilités qu'offrent les "nouveaux outils", il ne te reste plus qu'à investiguer les possibilités créatrices qu'ils présentent. Par leur facilité d'utilisation et leur rapidité d'exécution, ils te permettront de réaliser des

"Je voudrais être une machine."
Andy Warhol

créations qui autrefois auraient demandé plusieurs années de travail, d'acharnement et de patience !

La nouvelle ère

Nous voici à quelques semaines de l'an 2000. Il est donc normal que les artistes d'aujourd'hui utilisent d'autres techniques que les hommes des cavernes ou même que les peintres de la Renaissance. Toi non plus, n'hésite pas à te servir des outils d'aujourd'hui pour créer ! Hier, on écrivait à la plume ou au crayon, aujourd'hui, on utilise l'ordinateur ; hier, pour relater en images un événement, on le dessinait, aujourd'hui, on le photographie ou on le filme ; hier, pour transmettre un texte à quelqu'un, on le recopiait, aujourd'hui, on le photocopie ; hier, pour reproduire un dessin, on utilisait la technique de "mise au carreau" (page 43) ou un pantographe, aujourd'hui, on le scanne ou on le photocopie ; hier, pour avoir des nouvelles de ses amis, on leur écrivait, aujourd'hui, on leur téléphone ou on leur envoie un fax...

Marine, 6 ans

L'ordinateur

C'est devenu un véritable outil de création artistique. Demande conseil à un magasin spécialisé pour disposer d'un programme informatique adéquat (logiciel de dessin ou langage de programmation).

Sans taches, ni éclaboussures et donc... sans tablier, sans gomme ni crayon, tu peux t'amuser à expérimenter, inventer, recommencer, reproduire à l'infini, effacer, superposer, colorier, estomper...

Allô allô ?

C'est en 1921 que le peintre du Bauhaus (page 163)Lazlo Moholy réalisa le premier tableau téléphoné. Il s'agissait d'une œuvre abstraite composée de formes géométriques. Le résultat "répondit" assez bien au modèle téléphoné.

La photocopieuse

La photocopieuse permet de reproduire instantanément un document. Elle permet également d'en agrandir ou d'en réduire le format, d'éclaircir ou de foncer les valeurs (page 52). Tu peux utiliser la photocopieuse pour faire subir plein d'opérations à une image : la déformer ; démultiplier les formes ; composer un collage à partir d'éléments identiques mais reproduits dans des tailles différentes ou sur des supports de couleurs différentes.

Le projecteur

Comme son nom l'indique, il permet de projeter sur un écran des images fixes ou mobiles. Mais tu peux également t'en servir à d'autres fins...

Faxmania

La personne qui a un jour eu l'idée d'associer le téléphone à la photocopie est le génial inventeur du télécopieur. "Monsieur Fax" a donc inventé un procédé de communication à distance qui permet au propriétaire d'un télécopieur de transmettre des

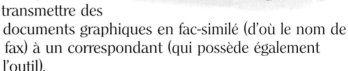

documents graphiques en fac-similé (d'où le nom de fax) à un correspondant (qui possède également l'outil).

Une véritable aubaine pour les amateurs de messages codés.

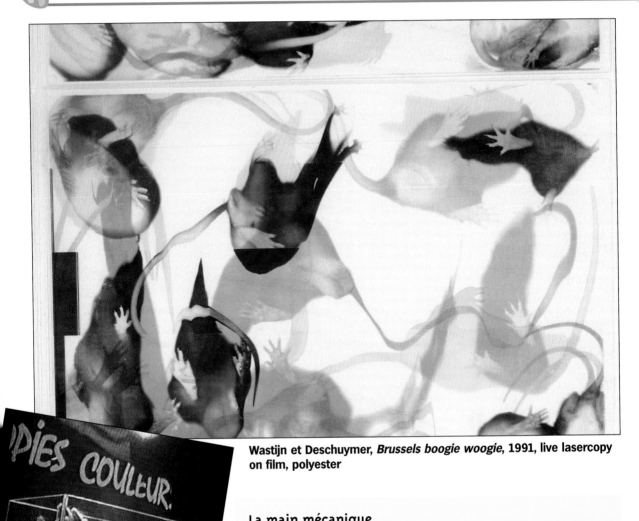

Wastijn et Deschuymer, *Brussels boogie woogie*, 1991, live lasercopy on film, polyester

Sur la vitre d'une photocopieuse couleur, les deux jeunes artistes flamands Koen Wastijn et Johan Deschuymer déposent des animaux vivants : souris, rats, anguilles, carpes. La machine balaie le champ : un passage pour le magenta, un pour le cyan, un pour le jaune, un dernier pour le noir.
Dans la reproduction d'images fixes, ces couleurs se superposent parfaitement ; ici, comme le modèle est en trois dimensions et qu'il bouge, la photocopieuse intercepte leurs mouvements.

La main mécanique

La machine n'est rien d'autre que le prolongement mécanique de la main, de l'œil, du cerveau de l'homme. En ce sens, elle est un outil au même titre que le crayon ou le pinceau. Et pourtant, lorsqu'il décrète qu'il veut être une machine, Andy Warhol revendique une mise à distance de son statut d'artiste en prétendant travailler de la manière la plus neutre, la plus mécanique possible. D'autres artistes ont déclaré leur intention de faire des œuvres dans lesquelles leur main (leur patte, leur style) n'apparaisse plus.

C'est ainsi que dans les années cinquante, Tinguely invente une machine à peindre.

L'histoire de l'art regorge de machines. Chez certains artistes, la machine intervient comme thème privilégié. Chez d'autres, elle est intégrée au processus même de l'œuvre. Parfois, elle se substitue à l'artiste.

A chaque période de l'histoire, les nouvelles inventions ont suscité la curiosité et l'admiration des uns, éveillé la méfiance des autres.

Aujourd'hui, il est donc normal que les artistes s'approprient, la vidéo, l'ordinateur, les jeux électroniques, les cartes à puce, le dessin animé ou le réseau Internet.

Nouvelles techniques et créations

En 1959, Tinguely met au point la machine à dessiner. Une machine actionnée par un moteur électrique exécute des dessins abstraits proches des dessins automatiques, différents les uns des autres suivant les utilisateurs. Tinguely parodie l'art abstrait et se moque de l'acte créateur. Ces machines sont une œuvre d'art et en même temps elles prennent la place de l'artiste. Elles sont comme de grands jouets à la disposition du spectateur. Tinguely a créé toutes sortes de machines : machines qui s'autodétruisent en fumant et en explosant, sculptures sonores, sculptures-fontaines comme la Fontaine Stravinsky devant le Centre Pompidou, réalisée avec sa compagne Niki de Saint-Phalle.

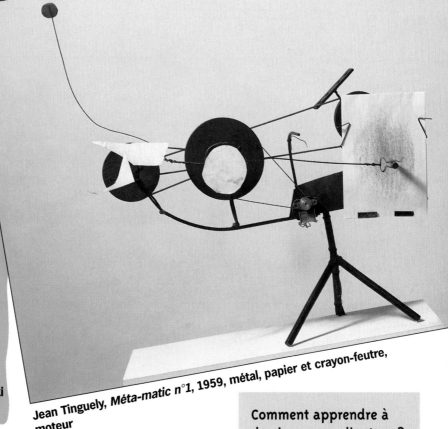

Jean Tinguely, *Méta-matic n°1*, 1959, métal, papier et crayon-feutre, moteur

Système D

Perclus de rhumatismes et les doigts déformés par l'arthrite, Auguste Renoir s'était construit un appareil pour continuer à peindre. C'était une espèce de gant relié à un réseau de fils dans lequel il enfermait ses doigts. Cela lui permettait de peindre sans douleur.

Copy Art

Le Copy Art est né dans les années 70, le jour où une employée de bureau a bougé par erreur le document qu'elle photocopiait. C'est ainsi que l'outil de bureau a commencé sa carrière artistique. Depuis, de nombreux artistes ont intégré les possibilités de la photocopieuse au sein de leur œuvre.

Comment apprendre à dessiner sur ordinateur ?

Sais-tu qu'il existe des programmes spécialement conçus pour apprendre à dessiner sur ordinateur et dont les outils ressemblent étrangement aux outils traditionnels du peintre ? Bien sûr, un écran et une image impalpable ne remplacent pas la feuille de dessin. Mais cet outil te permet d'explorer une multitude de possibilités dont les limites seront celles de ta curiosité.

A bon entendeur...

A ton clavier !

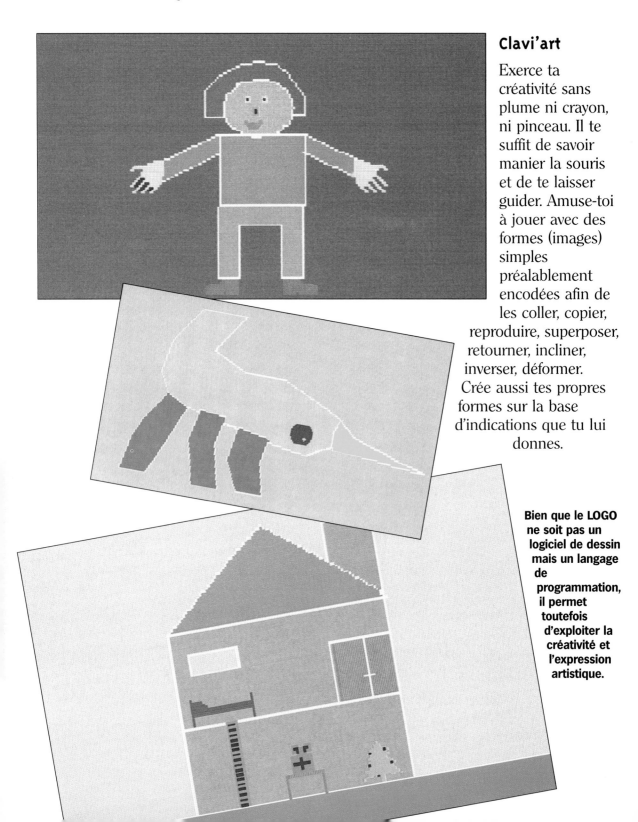

Clavi'art

Exerce ta créativité sans plume ni crayon, ni pinceau. Il te suffit de savoir manier la souris et de te laisser guider. Amuse-toi à jouer avec des formes (images) simples préalablement encodées afin de les coller, copier, reproduire, superposer, retourner, incliner, inverser, déformer. Crée aussi tes propres formes sur la base d'indications que tu lui donnes.

Bien que le **LOGO** ne soit pas un logiciel de dessin mais un langage de programmation, il permet toutefois d'exploiter la créativité et l'expression artistique.

Projection privée

Sens dessus dessous

Projette une diapositive sur un fond de matière colorée ou sur une autre image ou encore introduis dans la machine deux diapositives superposées.
Peins ce que tu vois.

Faxons

Fax et attrapes

Adresse à tes copains des messages codés sous forme de rébus.
Le rébus est un jeu dans lequel des dessins ou des signes prennent la place des mots. En nommant les dessins, on reconstitue le message.

Exemple : le message : G a
se lit : G grand, a petit
et signifie : j'ai grand appétit !

Trucs et astuces

Comment travailler en couleurs ?
Pour les couleurs, soit tu disposes d'une imprimante couleur, soit tu imprimes ton dessin en noir et blanc pour ensuite le colorier aux crayons !

solution :   A demain, soleré! S: Anne :

Photocopiage ou photocopillage ?

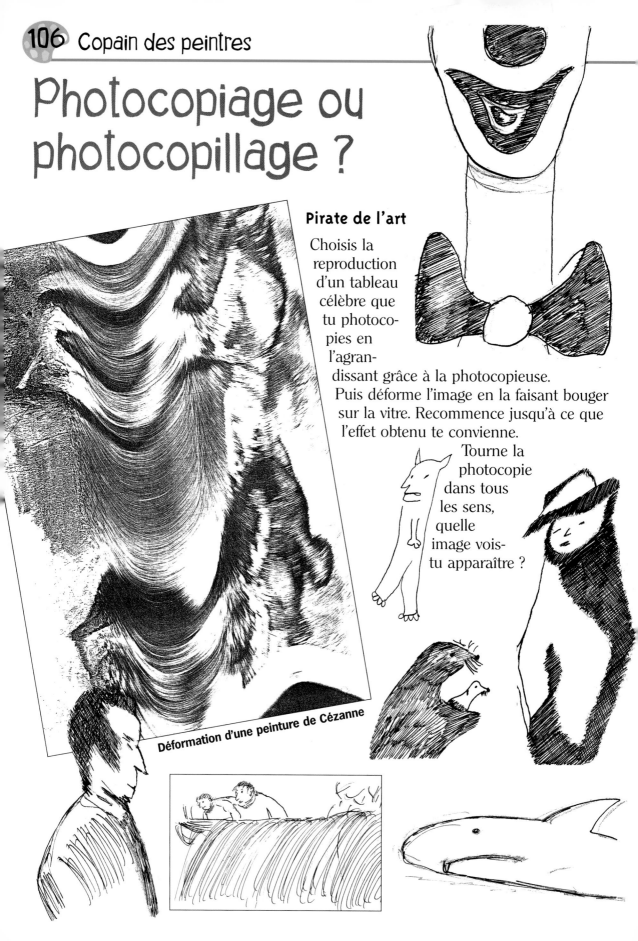

Pirate de l'art

Choisis la reproduction d'un tableau célèbre que tu photocopies en l'agrandissant grâce à la photocopieuse.

Puis déforme l'image en la faisant bouger sur la vitre. Recommence jusqu'à ce que l'effet obtenu te convienne.

Tourne la photocopie dans tous les sens, quelle image vois-tu apparaître ?

Déformation d'une peinture de Cézanne

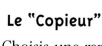

La ruelle de Vermeer revisitée par Lucas, 7 ans.

Le "Copieur"

Choisis une reproduction de peinture qui comporte beaucoup de portes, fenêtres ou encadrements. Photocopie-la en l'agrandissant.
Découpe au cutter chaque fenêtre.
Colle la photocopie sur une feuille de dessin et imagine les scènes qui se déroulent derrière.

Copy-bouche

Ouvre le couvercle de la photocopieuse et rapproche ton visage de la vitre. Fais une monstrueuse grimace avec ta bouche, tire la langue, montre les dents, rugis comme un lion, éclate de rire... Enclenche la photocopieuse et reste immobile et yeux fermés pendant le passage de la lumière. Superpose un calque sur la photocopie et reproduis l'expression de ta grimace en dessin. Puis agrandis-la le plus possible et fais-en une peinture. Pourquoi ne pas associer quelques copains à cette séance de copy-bouche et réaliser ensuite un gigantesque festival de grimaces (page 74) ? (Idée à soumettre à ton dentiste préféré et à exposer dans sa salle d'attente !)

Copie branchée

Pose tes mains à plat sur la vitre de la machine et photocopie-les plusieurs fois en les agrandissant et en les réduisant.
Fais de même avec ton bras. Découpe-les. Fais pousser un arbre de bras et de mains que tu assembles en les collant.
Photocopie ton collage.

Techniques d'impression 1=100

Tu souhaites annoncer à tes copains la naissance du dernier chiot de ta chienne, les convier à un tournoi de water-polo ou organiser un méga pique-nique champêtre... un seul avis n'y suffira pas ! Tu recourras dans ce cas à une technique d'impression pour réaliser de nombreuses "épreuves" ou "estampes" à partir d'une "matrice". Avant toi, beaucoup d'artistes ont été séduits par les techniques de gravure qui permettent de démultiplier leur œuvres.

Techniques	
Taille d'épargne • les parties enlevées donneront les blancs. Les parties en relief reçoivent l'encre et forment le dessin	
Taille douce • on griffe, grave, atta-que le métal et ce sont les creux qui forment le dessin.	**Techniques directes** • on grave directement la plaque à l'aide d'outils. Elle est ensuite encrée à l'aide d'un rouleau, d'un bouchon ou d'une poupée. **Techniques indirectes** • c'est l'acide qui grave la plaque en l'attaquant. Le métal est recouvert d'une couche de vernis. Le dessin est gravé dans le vernis à l'aide d'une pointe. L'acide mord le métal ainsi mis à nu et creuse des sillons plus ou moins profonds. Les creux sont ensuite encrés pour être imprimés. Les gravures obtenues à base de ce procédé s'appellent eaux-fortes (=acide).
Impression à plat • comme son nom l'indique, cette technique n'utilise ni les creux, ni les reliefs.	• L'artiste dessine à la plume, au pinceau ou au crayon gras lithographique sur une pierre calcaire préalablement polie. Dans cette technique, l'artiste joue sur l'incompatibilité des surfaces : d'une part les parties dessinées et donc grasses sont imperméables et d'autre part les parties non dessinées, c'est-à-dire les réserves, sont perméables et restent blanches. La pierre est humidifiée à l'éponge et encrée à l'aide d'un rouleau. L'encre grasse est retenue par les parties recouvertes d'un crayon gras et s'imprime sur le papier. • C'est l'art d'utiliser les pochoirs. Une soie ou du nylon à mailles fines est tendu sur un cadre. Un côté du cadre est fixé à la table. L'encre est étendue à l'aide d'un racloir en caoutchouc et est pressée au travers de l'écran. Les parties réservées (celles cachées ou recouvertes d'un produit bouche-pores) restent blanches tandis que les parties non réservées s'impriment sur le support.

Les ressources de la gravure sont innombrables. Les indications données dans ce tableau sont destinées à t'apporter des éléments pour identifier les techniques principales mais n'ont certes pas épuisé le sujet. Certaines techniques requièrent une installation assez sophistiquée (presse-acide-table chauffante) que l'on trouve généralement dans les ateliers professionnels ou des écoles.

Kikie Crèvecœur, spécialiste des gommes gravées, a réalisé une série de personnages sur le thème de la musique.

Noms	Supports matrice	Outils	Supports d'impression
Linogravure	Linoléum	Gouge Cutter	Papiers Tissus, etc.
Xylogravure	Bois	Ciseau à bois	
Pointe sèche **Burin** **Eau-forte**	Métal (cuivre-zinc)	Pointe sèche Burin Brunissoir Roulette (ou outils improvisés : papiers de verre, clous, aiguilles)	Papiers pour gravure (à base de chiffons)
Lithographie	Pierre calcaire	Crayon lithographique	Papiers
Sérigraphie	Soie ou nylon à mailles fines		Tous supports

Impression - mode d'emploi

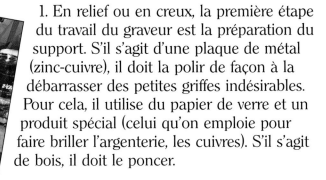

Les étapes de la gravure

1. En relief ou en creux, la première étape du travail du graveur est la préparation du support. S'il s'agit d'une plaque de métal (zinc-cuivre), il doit la polir de façon à la débarrasser des petites griffes indésirables. Pour cela, il utilise du papier de verre et un produit spécial (celui qu'on emploie pour faire briller l'argenterie, les cuivres). S'il s'agit de bois, il doit le poncer.

2. En fonction du résultat souhaité, le graveur choisit une technique d'épargne ou de taille douce (page 108-109). Il enlève ce qui ne doit pas apparaître à l'impression ou grave la plaque avec divers outils. C'est la seconde étape, la gravure proprement dite.

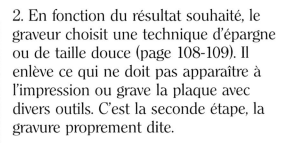

3. L'encrage est l'opération qui consiste à étendre l'encre sur le support gravé. Si la technique est la taille d'épargne, l'encre se posera uniquement sur les reliefs. Si la technique est la taille douce, l'encre recouvrira toute la plaque. Il faudra ensuite l'essuyer délicatement afin que l'encre ne reste que dans les creux.

Le code secret des graveurs

Toute gravure (épreuve définitive) comporte une indication chiffrée au crayon. Le numérateur correspond au tirage en cours, le dénominateur correspond au nombre d'épreuves au tirage. Ex. 15/20 désigne la 15e épreuve d'un tirage limité à 20.

Les premiers tirages portent le nom d'épreuve d'artiste ou d'état et sont généralement notés E.A. sans chiffre.

Enfant de 8 ans, Monotype

4. L'impression de la plaque se fait généralement à l'aide d'une presse. Le papier humidifié est posé sur la surface encrée. On choisira de préférence un papier épais et absorbant, capable de supporter le passage à l'encre et l'humidité.

La pression écrase le papier dans les creux pour en tirer l'encre ou met en contact celui-ci avec les reliefs encrés.

5. Le séchage : les feuilles imprimées sont enfin mises à sécher entre 2 cartons ou 2 feuilles de papier absorbant.
Tu peux aussi les faire sécher en les suspendant à un fil avec des pinces à linge ; entre les pages d'un annuaire téléphonique périmé ; étalées sur le sol ou encore sur un ancien porte-disques.

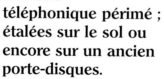

La sérigraphie est une autre technique d'impression. Andy Warhol l'a explorée pour des portraits de stars, des séries de fleurs, de vaches, de dollars, de bouteilles de Coca-Cola, de boîtes de soupe Campbell... Par ce procédé, il cherche à multiplier facilement des images et donc à produire rapidement des œuvres d'art.
Cette série est une variation d'après un motif très simple de quatre fleurs. Warhol joue avec toutes les données propres à la sérigraphie : il permute l'ordre d'impression des cadres, il les déplace sur le papier, il intervertit les passages de couleurs.

Andy Warhol, *Flowers*, 1971, 3 sérigraphies sur papier d'une série de 10, 91 x 91 cm

La petite imprimerie

Les graveurs en herbe ne sont pas en reste. Voici un tas de supports improvisés qui feront de toi un apprenti-graveur. Bouchons, gommes, bouts de ficelle, pommes de terre...

Un lino gravé.

Des gommes gravées pour décorer tes carnets de croquis.

Des mini-pochoirs imprimés au doigt (un par couleur) pour créer des ex-libris inimitables.

Sans oublier les "périssables" : les pommes de terre sculptées et les champignons tranchés.

Tout peut devenir outil de gravure. Amuse-toi à poser ton "cachet" personnel sur tes lettres, livres, dessins...

Pour imprimer, il te suffit d'appuyer ton cachet sur un tampon encreur de couleur ou de l'enduire de gouache à l'aide d'un rouleau puis de presser sur le support.

Attention, si tu veux écrire un mot quelconque, tu dois le graver à l'envers afin qu'il s'imprime à l'endroit.

Une gomme gravée pour réaliser un carton à ton nom.

Des bouts de ficelle collés sur des bouts de cartons pour signer de jolis marque-pages.

Des bouchons encrés pour décorer des sous-verres.

Un caoutchouc collé pour donner du cachet à ton papier à lettre.

Graver sans être pro

Orianne, 10 ans

Cartes de vœux... à souhait

Pourquoi ne pas profiter de la fin de l'année pour t'initier à la linogravure et réaliser ainsi tes cartes de vœux ?

Dans cette technique, on "épargne" le sujet à imprimer ; mieux vaut dès lors choisir un motif présentant d'importantes masses bien délimitées plutôt que de nombreux détails au trait !

Jérôme, 8 ans

Réalise d'abord un "dessin préparatoire" du sujet à représenter sur une feuille de papier. Procure-toi un morceau de linoléum que tu découpes au format d'une carte postale. A l'aide d'un crayon, reproduis ton dessin sur le lino et noircis les surfaces que tu vas "réserver". Attention ! N'oublie pas que

Jessica, 10 ans

ton dessin s'imprimera à l'envers. Si tu veux signer ton lino, tu dois donc écrire à l'envers. Puis dégage les autres surfaces avec une gouge spéciale.

Quand c'est terminé, étale l'encre avec ton rouleau sur une plaque puis enduis-en ton lino.

Pose ensuite ta feuille au-dessus et presse-la contre le lino à l'aide d'un autre rouleau. Imprime autant d'épreuves que tu souhaites envoyer de cartes de vœux !

Ben, 10 ans

Trucs et astuces

Comment protéger tes doigts ?

Attention ! La lame de la gouge de linogravure est très coupante ! Pour ne pas te blesser, veille à garder ta main inactive toujours derrière la gouge de façon à la protéger en cas de dérapage.

Comment travailler le linoléum ?

Le linoléum se grave mieux lorsqu'il est assoupli par la chaleur. Pendant que tu prépares ton projet de dessin, assieds-toi sur ta plaque de linoléum, ou encore pose-la sur un radiateur ou au soleil.

Etre pro sans presse

Si tu ne disposes ni d'une presse ni d'un second rouleau, pour reporter ta matrice sur le papier, tu peux te servir d'une cuillère que tu tiens par le manche. Pose une feuille de dessin sur ta matrice encrée. Mets ton pouce dans le creux de la cuillère et fais pression sur le papier en allant de gauche à droite et de droite à gauche. Veille à ce que la pression de ton pouce soit égale partout. Puis d'un coup sec, dégage la feuille de la matrice.

Enfant de 7 ans

Monotype

Le monotype est une technique qui se situe à mi-chemin entre le dessin original et l'estampe. Il permet d'obtenir de très beaux effets de matière. Encre une plaque de verre ou de Plexiglas (voire

même un miroir) avec une encre lavable à l'eau, une encre typographique ou encore de la peinture à l'huile. A l'aide d'un coton-tige, dessine dans l'encre ou fais des effets de matière. Pose ensuite ta feuille sur l'encre et presse-la avec un rouleau. Ton dessin apparaîtra en réserve et à l'envers.

Impressions "à la colle"

Sur un morceau de carton, fais un dessin à la colle en te servant de l'embout du tube comme d'un crayon. Lorsque la colle est sèche, fixe ton carton sur une table avec du ruban adhésif. Etale un peu d'encre sur une plaque. Ton rouleau doit être à peine encré. Pose une feuille sur le dessin et passe le rouleau sur la feuille. Recommence l'opération selon le nombre d'épreuves que tu veux.

Enfant de 8 ans

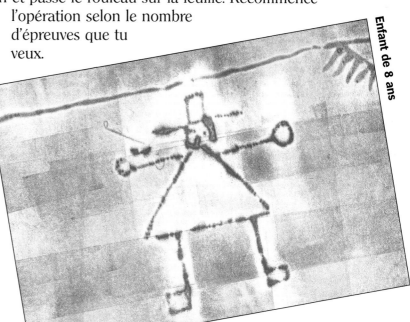

Enfant de 8 ans

Techniques mixtes et choix insolites

Autrefois, le peintre, aidé de ses assistants, préparait lui-même ses couleurs dans son atelier. Aujourd'hui, la production du matériel est industrielle et l'artiste n'est donc plus obligé de fabriquer ses couleurs lui-même. Toutefois, certains considèrent que le choix des matières utilisées participe au travail de création et explorent les différentes associations possibles entre pigments, liants et diluants.

"Quand je peins des melons, j'utilise la pelure comme spatule et je mêle son jus à la peinture."
Barcelo

La cuisine du chef !

Pourquoi n'expérimenterais-tu pas à ton tour des mélanges à base d'épices, de sirop de menthe, de jus de betterave rouge, de décoction d'oignon ou d'artichaut, de cirage, de teinture pour vêtements, de fruits, de chocolat... (tes "pigments"), de colle à tapisser ou à bois, d'acétate de polyvinyle ou de jaune d'œuf (tes "liants") et d'eau (ton diluant) ?

Rien à cirer
Un jour, comme il se trouvait coincé dans une chambre d'hôtel, Auguste Rodin eut soudain envie de dessiner. Alors qu' il n'avait aucun matériel avec lui, il descendit à la réception, demanda du cirage et réalisa de superbes croquis.

Techniques de toutes pièces
Degas associait le pastel avec un mélange de pigment et de colle animale. Dubuffet combinait pinceau, stylo-feutre et marqueurs. Les méthodes des peintres ressemblent quelquefois à des recettes de cuisine !

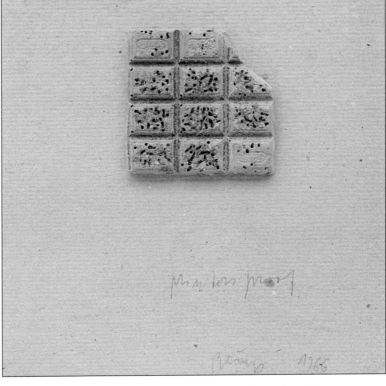

Joseph Beuys, *Printers proof*, 1966, carton gris et chocolat, 30 x 21 cm

Les matières choisies par Beuys sont issues de la vie : le miel, la margarine, la graisse, le chocolat. Naturels, olfactifs et nutritifs, ils sont transformables et malléables. L'artiste s'en sert pour transcrire les énergies. Grièvement blessé pendant la guerre, il avait été recueilli par les nomades tatars qui l'avaient soigné avec des substances élémentaires, la graisse et le feutre.

Peinture a tempera
Cette technique était déjà utilisée avant la peinture à l'huile. On l'appelle aussi peinture à l'œuf ou détrempe. Les étapes de fabrication en sont très simples, le tout est dans la dextérité. Ingrédients : œuf, pigment, pot en plastique, cuillère en plastique, cutter ou couteau. Etapes : - séparer le blanc du jaune / - rompre la membrane d'un coup sec en maintenant le jaune entre 2 doigts / - ajouter les pigments / - diluer à l'eau.

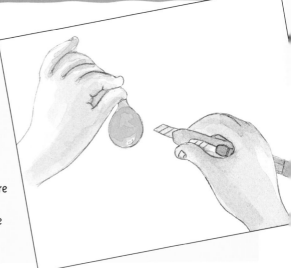

Sages combinaisons...

Marguerite, Patrick, Sylvain et Sarah ont peint un couloir de piscine sur une bande d'au moins un mètre de long, chacun selon une technique différente : aquarelle, tamponnage de gouaches, pastels secs et à l'huile.

Associations amies

La traditionnelle technique des "trois crayons" associe trois outils parfaitement compatibles : le fusain, la sanguine et la craie blanche (la famille des techniques sèches). Dans le même esprit, tu peux associer gouache, encre et aquarelle (la famille des lavables à l'eau). Dans ce cas, termine par le tracé à l'encre car celle-ci risque de se diluer au contact de l'eau si tu la poses avant l'aquarelle. Ou encore, combine pastels et peinture à l'huile (dont le médium commun est l'essence de térébenthine). Tu peux te servir de pastel pour rehausser un dessin à l'aquarelle ou au fusain, de gouache ou d'acrylique pour retoucher un dessin à l'encre.

Associations ennemies

Tu peux aussi jouer du rejet d'un matériau par rapport à un autre et associer par exemple aquarelle et pastel gras pour obtenir des effets de matière. Mais attention, si tout est permis, tout n'est pas possible !

Associations interdites

Certaines associations sont "rigoureusement impraticables" : on peut commencer une peinture à l'acrylique et la terminer à l'huile, mais l'inverse n'est pas possible.

Yvan a combiné le collage et le pastel sec.

Nicolas a joué avec du papier de soie et ses crayons.

... ou drôles de combines !

Enfant de 7 ans

Provoque des rencontres insolites qui n'auront d'autres limites que celles de ton imagination. Suis le guide pour quelques pistes en guise d'échauffement.

Composition au carré

Délimite un territoire de $1m^2$ dans ta pelouse ou un terrain vague.
Qu'y trouves-tu ? Réalise une peinture-collage à partir de tous les éléments récoltés.
Combine-les entre eux.

Enfant de 7 ans

Sables collés

Le sable et la colle font aussi bon ménage. Sur une feuille de dessin, peins à la colle des signes, des motifs, des formes et saupoudre ton dessin de sable non coloré. Termine-le en rajoutant de la couleur entre les formes ensablées.

Peindre, jouer

Jeux de mains, jeux de mots, jeux d'eau,
de malin, de vilain,
de lumière, de matière,
de hasard, bizarres...

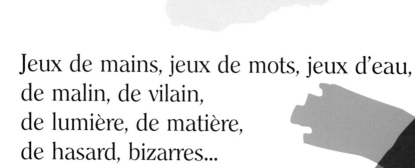

Les images que tu crées ne naissent pas "de rien"...
En jouant avec les couleurs, les matières, les signes, la lumière, les images, les formes et les motifs, tu apprendras à décliner, transformer, interpréter, amplifier, déformer, associer,... et de nouvelles images apparaîtront qui à leur tour en amèneront d'autres, qui t'en suggéreront d'autres encore...

T

X

E

"Jouer c'est créer." Ben

Jouer avec les couleurs

Imagine-toi qu'un matin, le soleil refuse de se lever...
Plus de lumière, plus de couleurs, la nuit perpétuelle...
Comme le monde serait triste, décoloré !
La couleur, c'est la vie.
Le monde est plein de couleurs gaies, folles, tendres ou tristes. Utilise les couleurs pour créer des formes, un climat, une atmosphère, des nuances, peindre avec précision ou dans le désordre, donner aux choses une apparence réaliste ou, au contraire, étrange.

Jouer avec les couleurs, c'est oser les explorer, les associer, les contraster, les doser, les atténuer, les juxtaposer, les superposer, les renforcer, les éclairer, les assombrir, les séparer... Les peintres se sont adonnés de 1000 façons différentes à cette activité de prédilection.

"Quand je mets du vert, ça ne veut pas dire de l'herbe, quand je mets du bleu, ça ne veut pas dire du ciel..." Henri Matisse

Les parents d'Yves Klein sont tous deux peintres. Mais lui est judoka ! Son activité de judoka professionnel sera longtemps son seul gagne-pain et, en même temps, une source d'équilibre et de paix intérieure. En 1956, il expose ses peintures monochromes commencées dix ans plus tôt : des toiles recouvertes d'une seule couleur posée uniformément. Le comité de l'exposition refuse une toile "parce qu'elle ne représente rien", on conseille au peintre "d'introduire dans le tableau une ligne ou un semblant de forme". La couleur seule ne semble pas pouvoir constituer une œuvre d'art.

L'année suivante, voulant conserver au pigment pur toute sa luminosité ordinairement assourdie par les liants et fixatifs, il met au point un bleu outremer très particulier dont il dépose le brevet sous le nom d'IKB "International Klein's Blue" et qui sera désormais sa marque. Le bleu est par ailleurs une couleur immatérielle : le bleu du ciel et de la mer est intangible, invisible, abstrait.

Yves Klein, *Monochrome bleu (IKB 3)*, 1960, pigment pur et résine synthétique sur toile montée sur bois, 199 x 153 cm

Sam Francis est entouré de pots de couleur. Penché vers le support posé au sol, il laisse couler la peinture pour créer des taches et pour l'éclabousser de couleurs. Pour lui, "l'espace c'est la couleur".

Qu'est-ce que la couleur ?

Comment se fait-il que nous voyons cette pomme rouge ?

Tout d'abord, parce qu'il y a de la lumière.
Dans le noir, il y a peu de chances que tu distingues la couleur de cette pomme : fais-en l'expérience.

Mais toutes les pommes ne sont pas rouges !
La preuve, il y en a des jaunes, des orangées, des vertes... et des pas mûres ! Sûrement que quelque chose dans "la nature" de la pomme a à voir avec sa couleur. Cette pomme possède probablement des pigments naturels de couleur (rouges, jaunes, orangés ou verts) tout comme certains minéraux contiennent des pigments naturels de couleur : ocre, brun...

Mais ferme les yeux. Cette pomme a beau être rouge et la pièce parfaitement éclairée, tu n'y vois goutte !
La couleur n'est donc pas qu'une affaire de lumière ou de matière. Il s'agit d'une sensation. Sans tes yeux, impossible de capter le message "rouge" que t'adresse la pomme en pleine lumière !

Mais il ne suffit pas d'enregistrer le message capté par les yeux. Ceux-ci ne sont en quelque sorte que les avant-postes du cerveau. Ils transforment l'information en message électrique qui atteint une région du cerveau où il reçoit son nom : pomme rouge, ainsi que d'éventuelles autres choses : Tiens, ça me donne faim !

Et tout cela en une fraction de seconde !

Percevoir la couleur, c'est donc un feuilleton en quatre épisodes : lumière - matière - yeux - cerveau. En d'autres mots, les couleurs des choses n'existent pas en tant que telles. Les objets qui nous entourent absorbent et diffusent les radiations émises par la lumière. Grâce à nos yeux qui les reçoivent et les transmettent à notre cerveau, nous pouvons déclarer : cette pomme est rouge.

Peintre-voyageur
C'est à l'occasion d'un voyage en Tunisie que Paul Klee se découvre vraiment peintre. Dans son carnet de voyage, il note : "La couleur me possède. Je n'ai plus besoin de la rechercher. Elle me possède à jamais, je le sais. Voici ce que signifie ce moment heureux : moi et la couleur, nous ne formons qu'un. Je suis peintre."

Malachite

Les couleurs ont une histoire

Bleu de Prusse, jaune de cadmium, vert Véronèse, rouge cinabre... bien souvent le nom d'une couleur désigne son origine ou raconte son histoire. Les pigments traditionnels sont d'origine végétale, animale ou minérale. Les premiers pigments provenaient de la terre : craies, ocres... Depuis lors la palette n'a fait que s'enrichir entre autres grâce aux progrès de la chimie. De nombreux nouveaux jaunes ont été produits au siècle dernier. Le bleu outremer et d'autres bleus datent aussi de cette époque. Ces pigments combinés donnent une large gamme de verts. Toute la palette du XXe siècle profite de ces recherches qui permettent aussi de remplacer des pigments onéreux, fugaces ou toxiques par d'autres produits synthétiques.

Nom	Origine	Couleur
Craie	Terre	Blanc
Azurite	Métal	Bleu
Cinabre	Métal	Rouge
Malachite	Pierre	Vert
Orpiment	Arsenic	Jaune
Lapis-lazuli	Pierre semi-précieuse	Bleu
Pourpre	Coquillages	Rouge
Garance	Plante	Rouge
Indigo	Plante	Bleu
Carmin	Cochenilles	Rouge
Sépia	Encre de seiches	Brun foncé

Lapis-lazuli

Petit dico de la couleur

violet = rouge + bleu

La teinte : la teinte désigne ce que nous appelons la couleur (rouge, vert, bleu...).

La clarté : c'est ce que nous apprécions quand nous disons qu'une couleur est claire ou foncée. Pour en juger, il existe un moyen toujours pratique : prenez un rond rouge et un rond vert. Photocopiez. Si les deux ronds vous apparaissent du même gris, vous pouvez conclure que vos deux couleurs possèdent la même clarté.

vert = jaune + bleu

La saturation : la saturation d'une couleur est son degré de pureté. Quand une couleur est vive, on dit qu'elle est saturée, quand elle est terne, elle est dite désaturée.

Le contraste : une couleur ne prend de la valeur que par rapport à une absence de couleur ou à une autre couleur. Cette relation s'appelle "contraste".

Couleur rompue : se dit d'une couleur mélangée à du blanc ou à du noir.

Couleur terne : il s'agit d'une couleur sans éclat, obscurcie.

Couleur dominante : on parle de dominante rouge par exemple lorsque la couleur rouge se trouve en quantité dominante dans une peinture.

Couleurs primaires : couleurs de base au nombre de trois (rouge, jaune, bleu). C'est à partir de leur mélange qu'on obtient toutes les autres couleurs.

Couleurs secondaires : couleurs qui résultent du mélange de deux couleurs primaires. On compte ainsi trois couleurs secondaires (orange, violet, vert).

Couleurs complémentaires : chaque couleur primaire est dans une relation de complémentarité avec la couleur obtenue par le mélange des deux autres couleurs primaires (bleu et orange ; jaune et violet ; rouge et vert).

brun = rouge + bleu + jaune

orange = jaune + rouge

"Les couleurs sont les enfants de la lumière." Johannes Itten

"Oser" la couleur

Comment mélanger les couleurs ?

Comment mélanger les couleurs intentionnellement, pour obtenir le ton voulu ? Cela dépend de la technique choisie (voir chapitre Choisir et connaître sa technique) : par juxtaposition de touches (peinture à l'huile, gouache, acrylique), par superposition de couches (pastel, aquarelle, encres de couleur), par hachurage (crayon, feutre). On peut aussi procéder au hasard par projection, tamponnage à l'éponge ou trouver accidentellement des mélanges traduisant l'effet désiré.

Comment obtenir certaines couleurs ?

Si tu préfères les teintures naturelles aux colorants chimiques, tu peux obtenir

• du jaune avec des racines de carottes, du safran, des pelures d'oignon bouillies ;

• du rouge avec du jus de betterave, des pelures d'oignon trempées dans du vinaigre ;

• du bleu avec des fleurs de mauve ou des pétales de bleuet ;

• de l'ocre en mélangeant de l'argile et de l'oxyde de fer.

Comment faire du gris ?

Le gris se fait habituellement en mélangeant un peu de noir à du blanc. Mais on peut aussi obtenir des gris colorés particulièrement réussis en mélangeant deux couleurs complémentaires. Les anciens Maîtres marquaient les ombres en utilisant la couleur complémentaire (page 125) soit en hachures régulières soit en légers glacis (page 66).

Comment reproduire la couleur de la peau ?

Si tu observes de près la peau de ta main, tu y découvriras comme Baudelaire "une harmonie de tons gris, bleus, bruns, verts, orangés et blancs, réchauffée par un peu de jaune".

Plutôt que d'employer du "rose", exerce-toi à nuancer la couleur "chair" en mélangeant en petites quantités les tons observés par Baudelaire.

Mais tu n'es pas non plus obligé d'imiter les couleurs que tu vois.

Comment éclaircir ou foncer une couleur ?

Cela dépend bien sûr de la technique choisie.

Au pastel, une couleur peut être éclaircie en estompant ou en superposant du blanc, et assombrie grâce à des teintes plus foncées.

A la gouache, on peut éclaircir une couleur en la mélangeant à de la gouache blanche ; l'assombrir en y ajoutant un peu de gouache noire.

A l'aquarelle, on épongera une couleur encore humide pour l'éclaircir, on superposera plusieurs couches de lavis pour l'assombrir.

A l'huile, c'est le choix des mélanges ou des superpositions qui est déterminant.

Reporte-toi au chapitre consacré aux différentes techniques pour te remémorer les spécificités de chacune d'entre elles.

Couleurs en délire

Coucher de soleil

As-tu déjà observé le soir les silhouettes qui se découpent sur un fond de coucher de soleil ? Cela s'appelle un contre-jour. Avec de la gouache rouge vermillon, jaune et noire, peins un fond dégradé allant du rouge au jaune. Puis dessine par-dessus une forme noire pour créer l'effet de contre-jour.

Laurent, 8 ans

3 couleurs - 1000 couleurs

A l'aide de coton-tiges trempés dans la peinture, applique la couleur sur ta feuille en petites touches juxtaposées, intentionnellement ou par hasard. Mets côte à côte des points rouges et jaunes pour de l'orangé, jaunes et bleus pour du vert. Mets ta feuille à distance pour observer les effets de couleurs.

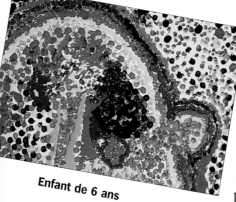

Enfant de 6 ans

Au goût du jour

Interprète en couleur une reproduction d'un tableau photocopié en noir et blanc.

D'après un tableau de Matisse, enfant de 12 ans

J'aime bien, j'aime pas

Anne adore les tomates, Olivier déteste la salade, Julie ne peut pas voir un fromage en peinture et Alain est allergique aux avocats.
Mais Louise dit qu'elle déteste la purée et elle ne mange que des frites !
En peinture, c'est comme en cuisine. Plus tu connaîtras de saveurs, mieux tu pourras reconnaître, comparer, juger. Il faut y avoir goûté et le connaître pour pouvoir apprécier un plat... comme un tableau !
La différence, c'est que le plat, tu le consommes tandis que la toile que tu vas admirer dans le musée, il y a peu de chances pour qu'elle soit un jour à toi. Alors, profites-en bien !

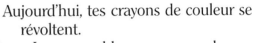

Anticoloriage

Aujourd'hui, tes crayons de couleur se révoltent.

Le crayon bleu en a assez de ne dessiner que du ciel et de la mer... le vert est las de ne faire que de l'herbe ou des légumes, le jaune ne supporte plus de devoir colorier le soleil. Le rose refuse de jouer encore la couleur "chair", le brun renonce pour toujours à recouvrir les troncs. Réalise un paysage dont tu bouleverses toutes les couleurs habituelles.

Harmonie

Trace à la gouache une ligne allant de gauche à droite, ondulée, brisée, sinueuse.
Double cette ligne d'une seconde en changeant de couleur. Invente une troisième ligne qui traverse ta feuille sans tenir compte des 2 premières. Et ainsi de suite jusqu'à ce que la feuille soit pleine de couleurs.

Enfant de 6 ans

Mets ta colère en couleurs

Les humeurs ont leurs couleurs. Il peut t'arriver d'être vert de rage, de rire jaune, de broyer du noir, de faire grise mine, de te fâcher tout rouge, d'avoir une peur bleue... Choisis une expression colorée et illustre-la.

La rage,
Jessica, 9 ans

Les goûts et les couleurs, ça ne se discute pas.

La colère,
enfant de 9 ans

Jouer avec les matières

"Le monde est ma palette." Robert Rauschenberg

Depuis le début du XXe siècle, la technique des peintres a profondément évolué. Les peintres qui sont sensibles à l'aspect tactile de leur travail choisissent d'autres supports, d'autres outils et d'autres matériaux que la couleur sortie du tube. Ils intègrent "toutes les matières possibles et imaginables".

Loin de chez nous, les aborigènes australiens font des peintures sur le sable

Illusion

Une journaliste se promenait sur la plage en compagnie de Picasso. Depuis longtemps, elle aurait aimé posséder quelque chose de lui. Soudain, il s'arrêta et lui demanda :
— Vous voulez que je vous donne un dessin ?
La journaliste ne savait comment exprimer sa joie. Picasso prit un morceau de bois, dessina un minotaure dans le sable mouillé et dit :
— Voilà, c'est pour vous.

Quelles matières utiliser ?

Allumettes, emballages de bonbons, capsules de bouteille, feuilles séchées, papiers aluminium, trombones, élastiques, au gré de ton imagination, "tout" pourra devenir matériau !

Où trouver ses matières ?

C'est bien simple : partout ! Dans la maison, dans le jardin, dans la rue, dans la forêt... Ouvre l'œil et tu seras surpris par la quantité de matières que t'offre ton environnement proche.

Comment les assembler ?

Le collage, le montage, l'agrafage, la couture, les clous, les trombones, les punaises...

Il est difficile d'imaginer que ce carré d'un jaune éclatant que l'artiste installe sur le sol au milieu d'une salle d'exposition, est fait de pollen utilisé comme du pigment pur. L'artiste est Wolfgang Laib. Il vit isolé du monde, dans un petit village à la lisière de la forêt dans le sud de l'Allemagne, et chaque année, il recueille du printemps à l'automne le pollen des noisetiers, pins, pissenlits...
Laib est très intéressé par les cultures et modes de pensée orientaux et cherche par l'art à lier le spectateur à la nature. Ses œuvres privilégient le recueillement et la méditation et invitent à la sérénité. En plus du pollen, il utilise aussi la pierre, le lait, le riz et la cire d'abeille.

Wolfgang Laib, pollen de noisetier,
1987, installation au Capc de Bordeaux

Peindre sans peinture

Portrait très pro

Choisis une profession et réunis tous des matériaux relatifs à celle-ci (dans le cas de la couturière : des boutons, des agrafes, des aiguilles, du tissu, du fil, etc.).
Réalise un portrait en te servant de tous ces matériaux.
Ou encore réalise un paysage composé exclusivement d'éléments végétaux.
Adapte ton choix de matières au sujet que tu choisis.

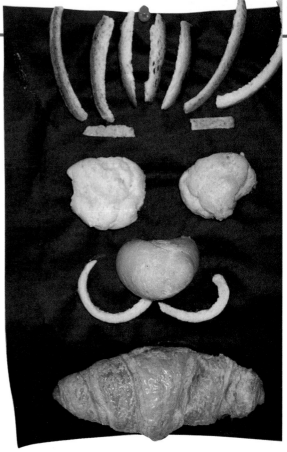

Enfant de 10 ans

Carte "à toucher"

Choisis une carte postale dont tu reproduis les grandes lignes de la composition. Interprète ta carte avec toutes les matières que tu as accumulées : un morceau d'aluminium pour les tuiles lisses et froides d'un clocher, de l'ouate cotonneuse teintée pour l'herbe moelleuse, etc.

Julie, 14 ans

C'est facile à faire !

Facile à dire ! Certaines œuvres peuvent parfois nous paraître si simples à réaliser en apparence qu'on se prend à dire : "Ah, moi, je peux en faire autant !"
Pas si sûr. C'est très souvent le fruit d'un long travail, d'une réflexion complexe que le peintre expose là.

L'art blanc

Penne, cannelloni, spaghetti, tortellini, tagliatelles, gnocchis... La fabrication de ces nombreuses sortes de pâtes relève véritablement de ce qu'on pourrait appeler de l'art "blanc". Et si tu te servais de ces délicieuses "œuvres d'art" pour réaliser une composition de pâtes en jouant avec les différentes formes.

Sables colorés

Sur les traces des Indiens Navajos ou des aborigènes d'Australie, tu peux toi aussi dessiner en te servant de sable et de pigments naturels. Procure-toi donc du sable fin et des pigments de couleur.

1. Découpe un morceau de plastique adhésif transparent. Fixe-le sur un support (ici sur un fond de papier rouge) la face papier vers toi avec du scotch sur les quatre côtés. Trace le dessin sur le plastique adhésif au feutre.

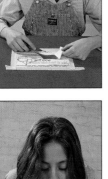

Julie, 14 ans
Sables colorés sur fond blanc

2. Evide une forme à l'aide d'un cutter.
3. Saupoudre de sable coloré (sable mélangé aux pigments de couleur). Des particules de sable se fixent ainsi sur la face collante.
4. Souffle pour enlever le surplus de sable.
Si tu as évidé plusieurs formes, recommence l'opération pour chaque couleur.

super, vous allez faire toute la vaisselle !!

Dialogue plastique

Rassemble des bidons, des bouteilles, des pots, des emballages en plastique coloré. Ecrase-les pour ensuite les organiser les uns par rapport aux autres : créer des harmonies, des oppositions, des alternances, des formes.
Assemble-les à l'aide de ruban adhésif.

Jouer avec les signes

Quand tu étais petit, tu ne savais pas calculer.

Quand tu as commencé à compter, tu t'es d'abord servi d'objets : tu as par exemple dénombré les canards dessinés sur la page d'un livre. Et peu à peu, tu as admis que cinq canards pouvaient être représentés par le chiffre 5.

Tu es passé du concret à l'abstrait, de la réalité au signe.

Les signes communiquent, désignent ou racontent quelque chose. Ils constituent un langage. Il existe de nombreuses familles de signes : les gestes sont des signes corporels, les notes des signes musicaux, les marques de ponctuation des signes graphiques, les légendes des cartes des signes cartographiques, les lettres des signes typographiques, les pictogrammes des signes-symboles...

Selon le contexte, un même signe peut avoir des significations différentes : par exemple, pour dire "oui", les Chinois agitent la tête de gauche à droite alors que pour nous ce même signe veut dire "non" !

Et pourquoi ne pas inventer son propre système de signes ? Les jumeaux, les amoureux, les grands amis ont souvent beaucoup d'imagination dans ce domaine.

Alors, si ces quelques lignes t'ont donné envie de créer ton propre code (à mettre au point avec quelques copains choisis), c'est bon signe !

(zéro plus zéro égale la tête à Toto)

o   o

+

=

Des gens qui travaillent sur ordinateur ont mis au point un langage pour communiquer leurs émotions.

A partir des signes de ponctuation de leur clavier, ils inventent des petits rébus (Smileys), qui, regardés la tête penchée à gauche, signalent ce que leur interlocuteur ne peut voir.

;-)   signe de complicité

:-c   signe de mécontentement

:- /   signe d'indécision

:-#   signe de silence

Le soir de la fête du Soleil, devant vingt mille Indiens, des "canons à lumière" projettent des fresques colorées sur les flancs du Machu Picchu. L'artiste Jorge Orta est argentin ; il vit à Paris. Pour réaliser ces "peintures luminographiques", il a collecté sur place des signes partant des pictogrammes des Incas, il les a dessinés à la main puis les a scannés et retravaillés sur ordinateur. Il constitue ainsi un "alphabet planétaire". Il intervient en effet à travers le monde, principalement sur des sites qui appartiennent au patrimoine de l'humanité : grand glacier de Patagonie, chutes d'Iguazu en Argentine, volcan Aso au Japon, cathédrale de Chartres en France... et le Grand Canal à Venise pour le centenaire de la Biennale. Soucieux d'un art engagé et gratuit, Orta s'était exprimé sous la dictature militaire en Argentine grâce au Mail Art (p. 182) et aux livres d'artistes.

Jorge Orta, *Peinture de lumière*, 1992, Machu Picchu, Pérou

Pierre Alechinsky, *Central Park*, 1976, encre de Chine sur papier, 26 x 38 cm.

En 1965, Pierre Alechinsky est à New York. Sa chambre, au 30e étage, donne sur Central Park, immense espace vert au milieu d'une forêt de gratte-ciel. A l'entrée du parc, des panneaux déconseillent les promenades nocturnes. "Don't cross Central Park at night." De sa fenêtre, à la tombée du jour, les yeux mi-clos, il détermine un rectangle comme une cage dans laquelle il enferme un monstre prêt à dévorer le promeneur imprudent. "En bas une gueule de monstre m'apparut tapie dans la fixité topographique. Terrible avec sa chevelure de fouillis d'arbrisseaux, son profil dessiné par l'ample découpe des chemins, joues coloriées en vrai..."

Alechinsky réalise d'abord une esquisse d'après nature à l'encre de Chine, puis une peinture à l'acrylique sur papier. Rentré dans son atelier en France, il ajoute tout autour du centre une suite de petits dessins rectangulaires en noir et blanc avec une remarques marginales.

multitude de personnages bizarres. C'est sa première peinture à Alechinsky a étudié les métiers du livre, typographie, illustration, etc... il est aussi graveur et connaît donc bien l'imprimerie. Il reprend l'habitude des remarques marginales : tout ce que l'on inscrit dans la marge au cours du travail et que l'imprimeur efface au moment du tirage définitif. Alechinsky utilise ces marges pour établir un dialogue avec le centre.

Un jour Alechinsky a demandé au photographe John Lefebre de photographier Central Park de la même fenêtre où il avait travaillé et dessiné le "monstre" de ses souvenirs sur la photographie.

Schéma de Central Park sur l'épreuve d'une photographie prise par John Lefebre, New York, 1965

Pictogrammes

Un pictogramme est un signe figuratif stylisé pour rendre, exprimer des choses et des êtres. En combinant plusieurs pictogrammes, on peut même exprimer une idée, d'où le terme d'idéogramme. Les civilisations antiques en faisaient usage. On a ainsi trouvé des pictogrammes sumériens, dans la vallée de l'Indus ainsi que dans l'île de Pâques. Les hiéroglyphes égyptiens sont aussi des pictogrammes.

Aujourd'hui encore, tu remarqueras l'usage fort répandu de ces signes figuratifs. Eh oui, as-tu remarqué qu'il t'est quasi impossible de t'orienter dans un bâtiment public, un aéroport, sur une route... sans les pictogrammes (ex. toilettes, code de la route...). C'est très pratique même quand tu es dans un pays dont tu ne connais pas la langue !

Signes en pagaille

En n'utilisant que 3 signes, amuse-toi à les combiner à l'infini pour réaliser un dessin totalement imaginaire.

Enfant de 9 ans

Signe, ARThur !

Ecris ton nom très vite, puis très lentement, en appuyant légèrement puis très fort, de la main droite, de la main gauche, avec la bouche, avec un pied...

A chaque fois, ta signature "raconte" autre chose. Laquelle te correspond le mieux ?

Eh oui, ta signature est un "signe" de ta personnalité ; à l'optimiste correspondra une signature gaie, qui s'envole vers le haut, au timide une petite signature repliée sur elle-même...

Essaie d'imaginer la personnalité de Solène et de Thomas en fonction de leur signature !

L'alph' fou bet

Transforme toutes les lettres de l'alphabet en fonction d'un thème : les chats, les dinosaures, la famille, la maison...

Ecris un mot ou une phrase en te servant de cette nouvelle écriture.

Enfant de 9 ans

Rien à signaler ?

Bonnes nouvelles

... Et si on en profitait pour adresser un signe aux copains ?

Découpe des lettres, des mots, des phrases dans différents journaux et magazines pour envoyer un message à tes amis. N'oublie pas de signer (sinon, tu agirais comme un "corbeau", personnage bien peu courageux qui envoie des messages anonymes pour dénoncer ou calomnier un voisin, un parent !).

C'est bientôt ton anniversaire ? ou le premier dimanche du mois ? ou le moment d'organiser une grande cueillette de champignons ?

Pourquoi ne pas inviter tes amis en leur adressant un petit mot... sans mots ?

N'utilise donc que des dessins pour leur faire savoir que tu les attends samedi à 15 heures à l'entrée de la piscine par exemple.

Des chiffres et des lettres

Découpe dans des magazines des chiffres et des lettres de grandeurs et de couleurs différentes. Mélange ces signes pour créer des personnages, des animaux ou des objets.

Interdiction de se fâcher !

Pourquoi ne pas baliser ton univers de ton "code de la route" à toi en inventant des signaux que tu placerais aux endroits stratégiques de la maison : à l'entrée de ta chambre, au-dessus de ton lit, sur la porte du réfrigérateur, etc.

Quelques idées en passant : péage obligatoire (3 bonbons), entrée interdite à toute personne de plus d'1 m 50, bisous recommandés, top secret, passage interdit, chute de chaussettes, interdiction de se fâcher...

Léo poursuivi par un serpent
Nicolas, 10 ans

Jouer avec la lumière

Les peintres ont toujours cherché à faire entrer la lumière dans leurs ateliers et dans leurs tableaux. C'est elle qui cache, met en évidence, souligne, escamote, estompe, nuance, oppose, contraste, révèle...

Des clairs-obscurs de Rembrandt à la lumière diffractée des pointillistes, en passant par les aplats de Mondrian ou les peintures-lumières de Dan Flavin , la lumière est au centre du travail des peintres.
A toi maintenant de créer l'ambiance, de mettre à distance ou au contraire d'éclairer ton travail !

Georges Seurat est ébloui par la lumière des Impressionnistes.
Il est lui aussi à la recherche d'une nouvelle manière de rendre en dessin comme en peinture les effets lumineux. Dans ses dessins, il frotte son crayon sur les grains du papier et utilise celui-ci pour contraster avec le noir charbonneux de sa mine.
Le blanc du papier devenu lumière perce alors entre les coups de crayon.
C'est du contraste noir/blanc que surgit la lumière dans ses dessins.

Georges Seurat, *A l'Eden-Concert*, 1886-1887, fusain et crayon, 297 x 229 cm

"Il est évident que la couleur-matériau et la couleur-lumière représentent deux états extrêmement différents... Les couleurs-lumières sont beaucoup plus visibles que les couleurs-matériaux... Il n'y a pas de différence entre la lumière et la couleur : c'est un phénomène unique." Don Judd

En 1963, Dan Flavin accroche en diagonale sur le mur de son atelier new-yorkais un seul et unique tube de lumière fluorescente de fabrication industrielle. Depuis lors, il utilise uniquement les tubes fluorescents, colorés ou non : objets ordinaires, que l'on trouve dans le commerce. La lumière est son matériau ; diffusée dans l'espace, elle éclaire le spectateur autant que l'architecture. Cette installation, dont il existe plusieurs versions, a été réalisée d'après des croquis faits par l'artiste en 1966. "Mon but était de créer une installation très belle qui produirait une impression de luminosité variable." Ce n'est pas tellement le tube qui est l'œuvre mais l'environnement qu'il éclaire.

Dans les années 60, New York est la capitale de l'art. Le monde urbain et le monde industriel font une entrée fracassante dans l'art. Les artistes de la génération de Flavin utilisent toutes sortes de matériaux et de couleurs jamais employés auparavant. Les œuvres nouvelles rompent avec la tradition de la peinture qui est un rectangle plane posé sur un mur.

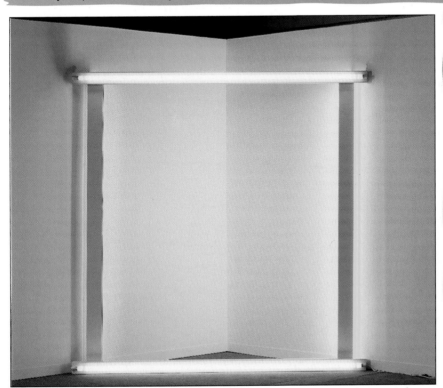

Dan Flavin, *Sans titre (A Donna)* , 1971, 6 tubes de lumière fluorescente (jaune, bleue, rose) et structure de métal peint, 245 x 245 x 139 cm

Ombres et lumières

Comprendre la lumière

Comprendre la lumière, c'est avant tout l'observer.

As-tu remarqué les contrastes d'ombre et de lumière lorsqu'il fait beau ? As-tu remarqué que les ombres étaient toujours projetées dans la direction opposée à la source de lumière ? As-tu remarqué combien la lumière révélait l'aspect, la texture des objets ? Les ambiances lumineuses résultent de la source lumineuse. Si celle-ci est naturelle, elle dépendra de l'alternance des saisons, des jours, des nuits et provoquera des sensations et des émotions particulières. Si elle est artificielle, elle sera multiple, linéaire ou ponctuelle, directionnelle et passible de toutes les transformations.

Créer des ambiances

Dans le **contre-jour**, la lumière éclaire l'objet du côté opposé à celui par lequel on regarde. L'objet très foncé se détache nettement d'un fond diffus.

Le **clair-obscur** est un rapport "clarté-ténèbres" qui suggère relief et profondeur.

Le noir, couleur-"lumière" ?

C'est en tout cas le point de vue que le peintre français Pierre Soulages explore de toile en toile. Il se souvient avoir dessiné un paysage de neige avec de larges traits noirs pour rendre le papier plus blanc. Pour lui, le noir est la couleur d'origine, celle qui seule peut réfléchir la lumière.

Traduire la lumière

Pour traduire les effets de lumière dans une peinture ou un dessin, choisis volontairement de ne retenir que trois valeurs principales : la plus claire correspondra aux endroits les plus éclairés, la plus dense à l'obscurité totale et la valeur intermédiaire à la pénombre. Cela te permettra d'analyser ce que tu observes et de rendre plus intenses les contrastes de valeurs.

Si tu veux créer une ambiance feutrée, diffuse, enrobante, allant de la plus grande douceur à la plus grande intensité, entraîne-toi à faire une échelle de tons :

- au crayon : en frottant ton crayon de moins en moins fort sur le papier (pages 42-43) ;
- à l'aquarelle : en diluant progressivement la couleur dans l'eau (pages 84-85) ;
- au pastel : en ajoutant du blanc (pages 48-49) ;
- au fusain : en estompant au doigt (pages 54-55) ;
- à l'encre de Chine : en parsemant de hachures ou de points plus ou moins espacés (pages 90-91).

Effets de lumière

Bougie-woogie

Installe-toi dans une pièce sombre.
Pose sur la table une nature morte
(un ensemble d'objets de ton choix)
que tu éclaires à l'aide d'une bougie.
Recouvre de fusain une feuille de
papier Ingres.
A l'aide de ta gomme, dessine les éclats
de lumière que tu perçois.
Peu à peu, les formes apparaîtront.

Enfant de 11 ans

Boîte à images

Le photographe peut, comme le peintre, être un artisan de la lumière.
Réalise un "sténopé", appareil photographique extrêmement simple et
peu coûteux.

Matériel :
une vieille boîte à chaussures, de la peinture noire, du ruban adhésif
noir, une épingle, du papier aluminium, une feuille de papier sensible
(papier photographique disponible dans le commerce), un rond en
carton.

Réalisation :
Peins l'intérieur de ta boîte en noir.
A l'extrémité de ta boîte, évide une forme carrée dans le carton. Fixe
sur cette forme un morceau de papier aluminium à l'aide de ruban
adhésif noir. Sur cette surface en aluminium, perce un trou avec
l'épingle. Ensuite, tu poses sur ce trou un morceau de carton rond qui
peut être enlevé.
Dans l'obscurité totale, ouvre ta boîte et place le papier sensible à
l'opposé du trou.
Referme soigneusement la boîte avec le papier collant.
Pose enfin ta boîte devant un objet bien éclairé.

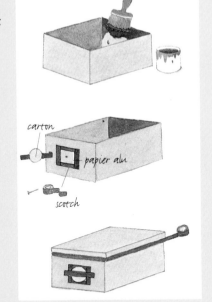

carton

papier alu

scotch

Ote le petit carton qui
obture le trou pendant une dizaine de minutes.
Quand les dix minutes sont écoulées, referme le trou. Il te reste
alors à "révéler" et à fixer l'image qui s'est formée sur le papier
sensible. Pour cela, confie ta boîte à quelqu'un qui possède un
laboratoire photo !

**Max a "photographié" un coin de campagne grâce à son
sténopé (photo noir et blanc).
Il en a également fait un croquis (dessin au crayon).
Quant à son papa, il a utilisé son vrai appareil pour en faire
une photo couleur.**

Silhoutête

Fixe une feuille à dessin sur un mur blanc, bien lisse. Place une lampe à environ 1,5 m. Assieds-toi devant la feuille, bien immobile et de profil. L'ombre de la tête qui se projette sur la feuille doit être nette. Sinon approche la lampe.

Demande à un ami de suivre au crayon lentement le contour de l'ombre. Peins ensuite ton profil avec de l'encre noire.

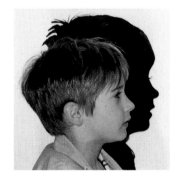

Pourquoi ne pas réaliser ainsi une galerie de portraits de tous les membres de ta famille ? Ou bien projette des ombres avec tes mains, en leur donnant des formes d'animaux.

Positif-négatif

Sur une feuille de papier blanc, dessine avec un crayon des formes abstraites, de préférence asymétriques. Choisis celle que tu préfères et reproduis-la plusieurs fois (entre 5 et 7 fois). Découpe les copies et dispose-les ensuite sur une feuille noire de manière à ce que les formes se chevauchent légèrement entre elles et touchent au moins deux bords de la feuille noire.

Essaie diverses compositions et lorsque tu estimes avoir trouvé le meilleur rapport, équilibre entre les blancs et les noirs, alors seulement, colle-les sur la feuille noire.

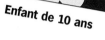

Enfant de 10 ans

Jeux d'ombres

A l'aide de papier ordinaire, de baguettes, de brochettes et de bouchons en liège, réalise une sculpture en papier. Eclaire-la avec une lampe de poche et joue avec les ombres projetées.

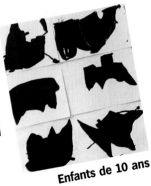

Enfants de 10 ans

Jouer avec les images

Tu as sans doute déjà entendu dire qu'aujourd'hui nous vivions dans une "société de l'image", voire même que nous subissions la "dictature de l'image" !
Images de télévision, publicités, jeux vidéo, ordinateurs, cinéma, photographies (de presse, de famille, etc.), reproductions d'œuvres d'art, affiches, bandes dessinées, graffitis... les images sont partout !

Et les artistes d'aujourd'hui s'en servent pour les détourner, les réinterpréter à leur façon.
A toi de jouer ! A ton tour, choisis, transforme, recycle, manipule, maltraite, inspire-toi des images pour en créer de nouvelles.

Roy Lichtenstein, *Artist's studio n°1 (Look Mickey)*, 1973, huile sur toile, 244 x 325 cm

Lichtenstein puise ses sujets dans la bande dessinée : Mickey Mouse, Donald Duck, Popeye apparaissent dans ses tableaux ainsi que d'autres personnages moins connus. La surface est définie par des "benday dots", petits points au pochoir qui sont une imitation de la trame des images imprimées. Il privilégie les cadrages en gros plan et les couleurs industrielles.
Il peint également des toiles d'après Monet, Mondrian, Picasso, Pollock, etc. Il décrit le monde qui l'entoure à travers les images populaires et intègre la culture de masse dans l'art.
Roy Lichtenstein est une des stars du Pop Art (page 201) américain.

Kolar le colleur

Soldat dans l'armée rouge, l'artiste polonais Jiri Kolar (page 97) participa à la libération d'Auschwitz. Il fut tellement impressionné par les amoncellements de lunettes, de cheveux, de valises, qui tous évoquaient si cruellement la disparition qu'il décida de ne plus toucher un crayon de sa vie. Depuis, il crée des collages à l'aide d'images qu'il découpe, lacère et bouleverse pour les réorganiser et les recycler en images nouvelles.

Pirates de l'art !

Si tu ouvres l'œil, tu t'apercevras qu'on trouve des reproductions de peintures partout, jusque sur les emballages de produits de beauté !

Il peut arriver qu'une œuvre d'art soit source d'inspiration et suscite la création d'une œuvre nouvelle, originale mais, le plus souvent, il

"Mondrianmania", lors de la rétrospective Mondrian en 1994

s'agit d'une utilisation à des fins publicitaires. Chaque grande exposition voit aujourd'hui fleurir une profusion d'objets de toutes sortes, de plus ou moins bon goût : boîtes de biscuits, cravates, stylo à bille, T-shirt, montres… !

Paradoxalement, Mondrian par exemple est peut-être davantage connu du grand public par ces objets décorés que par sa peinture qui elle n'a rien de décoratif.

Il y a quelques années, la société belge de transport aérien Sabena avait demandé à Magritte de lui peindre un symbole à des fins publicitaires. Il réalisa cet oiseau, symbole de paix, qu'on trouve reproduit sur les dépliants publicitaires et sur toutes sortes de matériel de bord de la société (tasse de café, assiette…).

Images en délire

Lifting

Choisis et découpe une image
dans un magazine.
Colle-la bien à plat sur une feuille à
dessin. Laisse sécher.

Jérôme, 11 ans

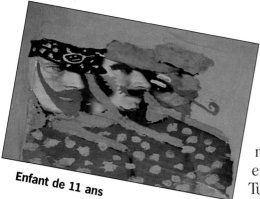

Enfant de 11 ans

Avec de la
gouache, repasse sur la photographie en en
modifiant ses couleurs, en accentuant ses formes,
en ajoutant des détails insolites.
Tu peux aussi choisir une image très connue ou
pourquoi pas un tableau célèbre.

Méli-mélo

Choisis une carte
postale ou une
reproduction de
tableau.
Découpe-la en petits
carrés que tu
réassembles dans un
nouvel ordre.
Tu fabriques ainsi
une nouvelle image
que tu peins sur une
autre feuille.

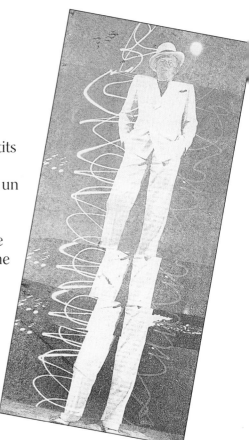

Giga record

Choisis une photo de magazine que tu photocopies
en plusieurs exemplaires avant de les découper en
bandes à superposer pour allonger une silhouette.

Comment constituer ta propre "iconothèque" ?

Collectionne les images : cartes postales, reproductions d'œuvres d'art, photographies découpées dans des magazines, etc. que tu classes en fonction de leurs qualités plastiques : rapports de formes, de couleurs, d'effets de lumière, de matières, de flou, contrastes, images à dominante rouge ou bleue ou…, réseaux, motifs, perspectives, plongées, contre-plongées, agrandissements, ou en fonction d'un thème : nuages, fumées, incendies, eau, portraits, monstres, villes, paysages, arbres, etc.

Comment détourner une image ?

Il y a 1001 manières de détourner une image. Le dessin, le collage, le découpage se prêtent bien à cette opération. Quelques pistes :
- la pasticher : imiter le style de quelqu'un d'autre pour s'en moquer.
- l'adapter : mettre au goût du jour une image ancienne.
- la "graffiter" : adjoindre inscriptions, dessins griffonnés à la main (cartes-souvenirs de vacances).
- en modifier la destination : transposer une peinture dans le champ de la publicité, une publicité en peinture…
- la transférer : à l'aide d'un morceau de coton imbibé de solvant (thinner), transférer une photo de magazine sur une feuille de dessin en tapotant sur le verso de la photo. Tu pourrais ensuite interpréter l'image à ton gré en redessinant dessus à la peinture.

Dictée d'image

Jessica, 10 ans. D'après un tableau de Vermeer

En groupe.

L'un d'entre vous décrit précisément une image ou un tableau : premier plan, arrière-plan, couleurs, personnages, décor, lieu, etc.

Chacun essaie de se construire une image à partir de la description et réalise l'image visualisée avec la technique de son choix.

On compare ensuite toutes les réalisations à l'image d'origine.

Mais ce sont mes magazines

Détournement de pubs

Découpe des publicités dans des magazines ainsi que leur légende ou leur slogan.

Echange les slogans entre eux pour produire un nouveau sens.

Jouer avec les formes et les motifs

Croix, ronds, carrés, étoiles, taches, pois, zébrures, rayures...
Le monde naturel et végétal est peuplé de motifs ! Tu peux identifier certains animaux au motif de leur pelage, de leurs écailles ou de leurs ailes ; d'autres sont même capables de modifier leurs couleurs pour se confondre avec leur environnement.

Quand les motifs ne se trouvent pas naturellement dans son environnement, l'homme les y place volontairement : ce sont les motifs architecturaux ou décoratifs que tu retrouveras par exemple sur les façades des maisons, sur les murs, sur les objets, les tissus, les papiers peints.

Fossile

Les habitants de Salt Lake City ont récemment eu la surprise de voir resurgir de l'eau la "spirale" toute recouverte de cristaux de sel. Cette construction avait été réalisée en 1970 par Robert Smithson puis avait été recouverte par les eaux du lac quinze ans plus tard.

Une forme obsédante : la spirale

Permanente, omniprésente, "incontournable" en quelque sorte, cette drôle de petite forme revient toujours et partout depuis la préhistoire. Elle rappelle l'enroulement du serpent ou celui d'une corde. Elle ponctue les récits appelés "rêves" des Aborigènes d'Australie, elle figure la course vers le soleil du lièvre de Miró (page 216), elle donne sa forme au musée Guggenheim à New York (page 265) et à l'escargot de Matisse (page 78), elle inspire Alechinsky qui l'assimile aux pelures d'orange, elle se retrouve dans les interventions "sur le site" des artistes du Land art.

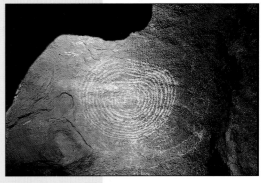

Australie, Grotte de la fertilité

Robert Smithson, *Spiral Jetty*, 1970, sel, terre, sable, Grand Lac Salé, Utah, USA

Pierre Alechinsky, *Pelures sur piedestal*, 1962, encre sur papier

Des rayures partout. Daniel Buren emploie systématiquement le même motif comme un matériau : des bandes verticales alternées (blanc et diverses couleurs) de 8,7 cm de large. Il applique ces bandes, le plus souvent peintes sur toile ou sur papier, sur des murs, des socles, des marches, des panneaux... Il choisit ce motif afin d'attirer l'attention sur l'espace environnant. Son attitude est considérée comme contestataire puisqu'il refuse de réaliser un tableau qui puisse être vendu mais présente pourtant ses rayures dans des musées ou galeries d'art.

En 1969, à l'occasion d'une exposition à Berne, il remplit la nuit des panneaux publicitaires de bandes roses et blanches... Il est mis en prison par la police qui l'avait pris pour un indépendantiste jurassien !

Ses œuvres ne sont pas toujours éphémères : en 1986, il installe à Paris dans la Cour d'Honneur du Palais Royal, 260 colonnes rayées en granite de marbre blanc et noir. Encore aujourd'hui, cette réalisation est loin de faire l'unanimité.

"L'art n'a plus de barrière, l'artiste a toute liberté de créer en tous lieux, dans la rue aussi bien que dans les musées." Buren, 1987.

Daniel Buren, *Cour d'honneur du Palais Royal*, Paris, 1986

Fabricant de motifs

Salade de formes

C'est le festival des formes en pagaille. Des ronds, des carrés, des triangles, des losanges, des petits, des grands, des gros, des minces, sur la pointe, sur le côté, des jaunes, des rouges, des bleus, des verts.
Recouvre une page entière de formes et peins-les en veillant à ce que les couleurs ne se chevauchent pas.

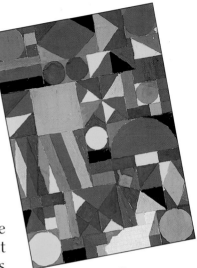

Enfant de 13 ans

Enfant de 7 ans

Le tapis d'Aladin

As-tu déjà remarqué la multitude de motifs qui ornent les tapis d'Orient ?
Pas étonnant qu'Aladin ait choisi ce mode de transport.

Pourquoi ne pas créer ton propre "carton" de tapis ou organiser un concours de motifs de tapis ?

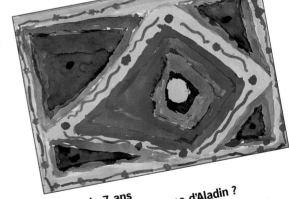

Enfant de 7 ans
Ne dirait-on pas la lampe d'Aladin ?

Métamorphose d'une pomme de terre

Une simple pomme de terre et de la peinture peuvent te servir pour imprimer des motifs variés (pages 112-113) que tu obtiens en combinant, alternant les formes entre elles.

"sur mesure"

Sur une feuille quadrillée dessine un motif de jacquard à tricoter toi-même ou à glisser habilement dans le panier à tricot de ta mamy préférée pour orner ton prochain gilet.

Patrick, 11 ans

Zoographies

Le zèbre a des zébrures, le papillon des tiquetures, le tigre des rayures.

Ces motifs permettent aux animaux de se reconnaître entre eux et de se camoufler. Amuse-toi à essayer de reproduire ces motifs avec de l'encre, des pastels ou de la gouache, sans t'intéresser à la forme de l'animal comme s'il s'agissait d'un tableau abstrait.

Art naval

On disait qu'il faisait nuit, c'était le carnaval des poissons. Comme il se doit, ils ont tous revêtus leurs plus somptueux costumes colorés. Sur papier noir, trace au crayon blanc la forme d'un bateau et partant de celle-ci les formes floues des fêtards en quadrillant toute la surface. Colorie.

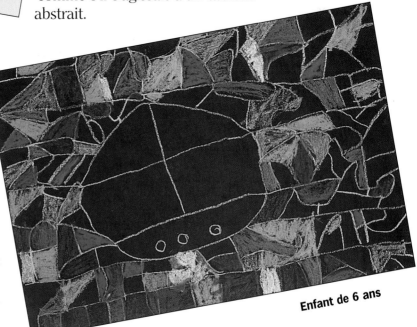

Enfant de 6 ans

Peindre, s'exprimer

Tu peux t'exprimer en parlant, en chantant, en criant, en hurlant, en pleurant, et même, sans rien dire du tout. En dansant, en peignant, en sculptant, en filmant, en mimant, en petit ou en grand... D'un geste, un regard, un sourire.
Tu peux inventer ton propre langage ou ne rien exprimer du tout...

Mais, de la même façon que pour t'exprimer en français, en anglais, en chinois, en russe, il te faut connaître le français, l'anglais, le chinois ou le russe, pour t'exprimer en peinture, il est important que tu connaisses les ressources du langage pictural : les couleurs, les matières, les formes... Les artistes s'approprient ces moyens picturaux pour exprimer à travers leur propre code une réflexion, une idée, une émotion, une impulsion...

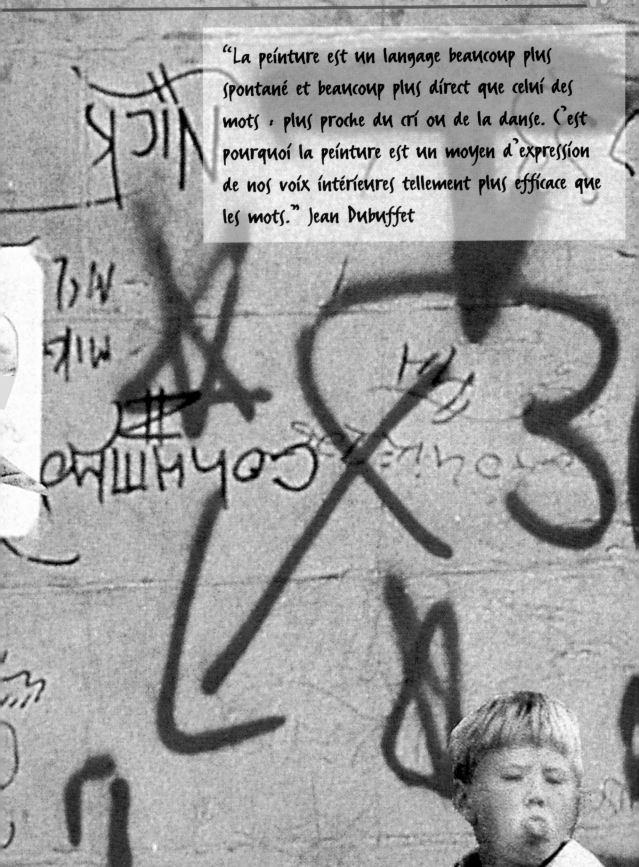

"La peinture est un langage beaucoup plus spontané et beaucoup plus direct que celui des mots : plus proche du cri ou de la danse. C'est pourquoi la peinture est un moyen d'expression de nos voix intérieures tellement plus efficace que les mots." Jean Dubuffet

Exprimer une émotion, un sentiment

"Toute œuvre d'art est l'enfant de son temps et bien souvent la mère de nos sentiments." Wassili Kandinsky

Quand le bébé pleure, sa maman se dit qu'il a faim, qu'il doit être changé ou encore qu'il a besoin qu'on le prenne dans ses bras !

Quand tu pleures, c'est que tu es triste, ou ému, ou énervé ; quand tu te fâches, c'est que tu es en colère ou peut-être vexé ; quand tu es content, tu souris... C'est comme cela que tu manifestes tes émotions.

Les émotions, même désagréables, sont utiles car elles te signalent qu'il faut passer à l'action ! Si tu es en danger, tu as peur : cette peur t'avertit qu'il faut agir pour te protéger. Tu peux bien évidemment exprimer tes émotions par des cris, des rires ou des larmes... mais tu peux aussi souhaiter les communiquer ou les "garder", dans ce cas tu chercheras à les transcrire par des mots ou par des images. C'est aussi une façon de sortir ton "trop-plein" de chagrin, de joie ou de colère !

Autrefois, les peintres travaillaient essentiellement sur "commande" : leurs œuvres avaient donc aussi une raison d'être religieuse, politique ou sociale.
Maintenant, l'opinion, le sentiment, l'émotion du peintre occupent une place centrale dans son œuvre ; ils en sont le moteur.

Deux attitudes peuvent guider le travail du peintre : soit, à la façon des expressionnistes par exemple, il cherche à nous communiquer ses émotions, soit, comme certains abstraits ou les minimalistes, il se met lui-même en retrait de son travail.
Dans les deux cas, le spectateur est libre d'entrer ou non dans l'œuvre, de réagir suivant ses propres sensibilités.

Tout un siècle de mouvement expressionniste

Au début du XXe siècle naît en Allemagne un courant, appelé expressionnisme. Il concerne autant la peinture que la littérature, la musique, le théâtre, le cinéma. L'art doit être instinctif et exprimer des émotions. Les couleurs sont intenses et vives, les contrastes violents, les formes simplifiées, stylisées, déformées... A l'approche de la guerre 1914-18, les artistes traduisent leurs angoisses et leur inquiétude face aux cruautés de la guerre.

Après la Seconde Guerre mondiale, apparaît un nouveau mouvement expressionniste, mais cette fois les artistes sont américains et abstraits. Eux aussi veulent exprimer une expérience intérieure. L'expressionnisme abstrait, souvent associé à l'Ecole de New York, est en plein essor dans les années 50. On distingue deux grandes tendances : "l'action painting", une expression très gestuelle avec J. Pollock principalement, et la "color field painting" avec entre autres Mark Rothko et Barnett Newman.

On parle aujourd'hui de néo-expressionnisme, à propos d'artistes allemands contemporains appelés aussi les "nouveaux fauves".

"J'entendis un cri traverser la nature. Je peignis les nuages comme du sang réel, la couleur hurla..." C'est ainsi que le peintre norvégien Edvard Munch raconte comment, au cours d'une promenade à l'heure du coucher du soleil, alors qu'il est fatigué et malade, il croit voir les nuages virer au rouge et entendre la couleur. L'angoisse est tellement insupportable que le personnage solitaire au premier plan hurle. Munch est un précurseur de l'expressionnisme.

Mark Rothko, *Jaune et or*, 1956, huile sur toile, 170,5 x 159,4 cm

Edward Munch, *Le cri*, 1893, huile sur toile, 91 x 73 cm

"La seule chose qui m'intéresse, c'est d'exprimer les émotions fondamentales de l'homme - la tragédie, l'extase, le destin..." Rothko veut "rendre la peinture aussi poignante que la musique et la poésie". Il peint de grands rectangles aux couleurs lumineuses et veloutées et aux limites estompées. Ses toiles de grand format, sans encadrement, sont de vastes espaces de couleur qui enveloppent le spectateur et l'invitent à la contemplation.
Rothko, grand admirateur de Matisse, est un des principaux artistes du "color field". Ces peintres utilisent le "champ coloré" de la toile pour exprimer une intense émotion.

"Exprimer par le rouge et le vert les terribles passions humaines." Vincent Van Gogh

Explosion d'émotions

Clémence exprime son immense chagrin d'amour.

Emotions colorées !

Munis-toi de pastels.

Pense à une émotion que tu as intensément ressentie. Ferme les yeux et remémore-toi la situation : Comment te sentais-tu ? Que se passait-il ?

Représente cette situation. Choisis les couleurs qui correspondent à cette émotion : des couleurs tristes ou des couleurs gaies ? Choisis les tracés qui traduisent cette émotion : rapides ou lents, larges ou serrés, tourbillonnants ou ordonnés ?

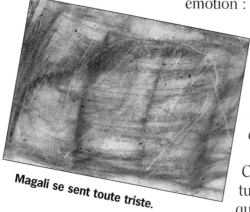

Ton dessin sera radicalement différent selon que tu exprimes une explosion de colère ou de joie ! Comment vas-tu disposer ton dessin dans la page pour exprimer la solitude ou l'amour, la peur ou la timidité ? Fais comprendre, deviner l'émotion, l'état d'âme que tu as voulu exprimer.

Magali se sent toute triste.

Comme les artistes, tu te comportes, tu agis... et tu crées, en fonction des émotions que tu ressens !

Maintenant, il faut une belle photo de moi !

Elise a peur la nuit dans son lit. Elle se sent aussi seule que sur cette grande page.

Portrait instantané

Crée l'univers correspondant à ton émotion du moment. Colle sur une feuille une photo de toi. Découpe dans des magazines des éléments qui correspondent à ce que tu ressens et colle-les tout autour de ton visage. Choisis les couleurs appropriées.

Expressions

Des tas d'expressions, qui mettent en jeu les différentes parties du corps, peuvent exprimer tes sentiments. Choisis celle qui te correspond le mieux et illustre-la de façon rigolote.

Quelques exemples : avoir quelqu'un dans la peau (ou dans le nez !), grincer des dents, avoir le sang chaud, tenir à quelque chose (ou à quelqu'un !) comme à la prunelle de ses yeux, avoir une tête à mettre dans un caleçon (ou si tu préfères, "une tête à claques"), être dans ses petits souliers, avoir la grosse tête, avoir l'estomac dans les talons, avoir la tête près du bonnet, avoir une tête de nœud, de lard, de Turc, de linotte ou même au carré, avoir sa bouche qui dit à ses oreilles que son menton touche à son nez, avoir une mine à tâter le vinaigre, avoir le cœur au bord des lèvres, avoir des jambes de coton...

"Pétant de santé", enfant de 9 ans

"Mal en point... s", enfant de 8 ans

Concours de grimaces

Devant un petit miroir que tu poses devant toi, amuse-toi à prendre toutes sortes d'expressions, à mimer toutes sortes de sentiments.

Tantôt tes sourcils se lèvent, tantôt ta bouche se plisse, tantôt de petites rides apparaissent... Derrière ta peau, une véritable "usine de muscles" entre en action, ce sont eux qui produisent des reliefs sur ta peau !

Les traits soulignés des personnages de BD (page 242) correspondent en fait aux plis qui se forment sur la peau par la tension des muscles alors que dans un portrait classique, ce sont les contours du visage qui sont marqués ! Inspire-toi de leur technique pour dessiner ton visage affolé, rigolard ou grincheux !

C'est quoi un chef-d'œuvre ?

Chef-coq, chef-lieu, chef-d'œuvre... Le chef, c'est le plus haut gradé !

Le chef-d'œuvre, à l'origine, désignait la pièce exceptionnelle que devait accomplir un compagnon pour devenir un maître dans sa corporation.

Par extension, ce mot désigne une œuvre d'art particulièrement accomplie. Il n'y a pas de règles pour déterminer ce qui fait d'une peinture, d'une sculpture, d'un film ou d'une composition musicale un chef-d'œuvre.

C'est une œuvre capable de marquer profondément son époque, par son caractère novateur, son pouvoir d'anticipation ou la puissance de l'émotion qui s'en dégage. Le chef, quoi !

Exprimer un point de vue, choisir un cadrage

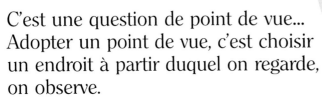

C'est une question de point de vue...
Adopter un point de vue, c'est choisir
un endroit à partir duquel on regarde,
on observe.
Nous sommes sans cesse mis en présence de choix : choisir un
programme télé, un vêtement, une destination de vacances...
Choisir c'est renoncer, c'est privilégier quelque chose au détriment
d'autre chose.
Les peintres sont également confrontés à de multiples choix :
de médium, d'outils, de formats, de supports, de sujets, de points de
vue...

Sous tous les angles

La photographie et le cinéma ont particulièrement utilisé toutes les possibilités qui permettent d'exploiter différents points de vue. Le choix du cadrage exprime réellement une intention, un point de vue. La bande dessinée s'est largement inspirée de l'étude des plans pour rythmer le récit (page 242).
Voici différents points de vue que l'on peut avoir sur une même scène :

1. le plan américain : personnage coupé aux cuisses
2. le plan moyen : personnage en pied
3. la plongée : place le spectateur dans une position dominante, au-dessus de l'objet ou de la situation filmée
4. la contre-plongée : situation inverse, le spectateur est dominé, écrasé, car il se situe en dessous de ce qu'il voit.
5. le plan de grand ensemble : descriptif large
6. le gros plan : accentue un élément particulier de la scène.

1   2   3

Piet Mondrian, *L'arbre rouge (Soir)*, 1908, huile sur toile, 70 x 99 cm.

Mondrian est parmi les premiers et principaux peintres abstraits. Sa peinture se caractérise par l'utilisation exclusive de lignes droites (horizontales et verticales se croisant à angle droit) et d'aplats de couleurs primaires (rouge, jaune, bleu) associées aux "non-couleurs" (noir, blanc, gris). Mondrian détruit l'illusion du volume et de la profondeur ; il supprime les modulations de couleurs et n'organise plus le tableau autour du centre.

Cette abstraction géométrique est le résultat d'une longue recherche. Mondrian part de motifs empruntés à la nature (paysage, arbre...) et à l'architecture, pour ne garder que les éléments essentiels. Le même motif vu sous un même angle, de face, passe par des états successifs. D'étape en étape, la forme devient abstraite. Il écrit à cette époque : "Je ne suis pas mécontent de mon travail, et plus

particulièrement des arbres" mais plus tard il ajoute : "Je suis à la recherche d'une expression plus pure." Il veut en effet dépasser l'individuel pour atteindre l'essentiel et jeter les bases d'un nouveau style pour le futur. "De Stijl" ("style" en néerlandais) est le nom d'un groupe et d'une revue fondés en 1917 pour défendre ses théories qui vont avoir une influence importante sur l'art, l'architecture, le mobilier, la mode...

Piet Mondrian, *L'arbre bleu*, vers 1908, tempera sur carton, 75,5 x 99,5 cm.

Piet Mondrian, *Pommier en fleur*, 1912, huile sur toile, 78,5 x 107,5 cm.

Edward Hopper est passionné de cinéma. De sa fréquentation assidue des salles obscures, il retient la leçon du cadrage, du point de vue et des éclairages ainsi qu'une prédilection pour le décor urbain avec des jeux d'ombres et de perspectives. Les fenêtres l'obsèdent. Il montre la vie quotidienne et des personnages solitaires, comme en un arrêt sur image. Une pose, une attitude, un geste sont saisis dans la banalité des tâches ménagères. Hopper est un des peintres les plus aimés des Américains pour le regard qu'il a porté sur une certaine époque de l'Amérique.

Edward Hopper, *Apartment Houses*, vers 1920, huile sur toile, 25,5 x 31,5 cm.

Le télescope ou le microscope modifient également notre point de vue sur la réalité en la rapprochant ou au contraire en l'éloignant de notre perception naturelle.

4   5   6

Donne-moi ton point de vue, je te dirai qui tu es !

Comment choisir un point de vue ?

Choisir un point de vue, c'est aussi composer. Et composer, c'est décider de la façon dont tous les éléments seront distribués dans le tableau ou le dessin.

Une composition peut être symétrique ou non. Selon l'angle choisi, la taille, la forme, les rapports de couleur vont changer. Observe ton sujet sous différents angles. Pour cela, fabrique-toi un viseur dans une feuille de papier ordinaire. Trace les diagonales et évide un rectangle au centre de la feuille, ou encore sers-toi d'un cache pour diapositive. Observe les formes créées par la superposition des éléments, les espaces qui les séparent. Et choisis, en fonction de ce qui t'intéresse : un rapport de formes, de couleurs, de masses...

A quelle distance travailler ?

Giacometti voulait fixer la réalité que l'œil découvre à distance. Matisse travaillait à proximité de son modèle, "genou contre genou", disait-il. Et toi, à quelle distance de ton sujet vas-tu t'installer ? En surplomb au sommet d'une échelle ou le nez contre lui ? Cela va dépendre de ce que tu veux montrer. Si c'est l'étude documentaire ou la texture de ton sujet qui t'intéressent, alors la proximité est de mise. Si c'est la perception globale, la vue d'ensemble, alors cela requiert une certaine distance. Et entre ces deux extrémités, il y a une infinité de possibilités intermédiaires. A toi de les expérimenter.

Protection rapprochée

C'est bien grâce à son nez qu'on reconnaît le célèbre Cyrano de Bergerac ! Toi aussi tu as dans ton entourage des personnes qui sont reconnaissables grâce à

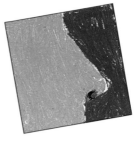

des traits caractéristiques. Choisis trois visages et cadre chacun d'eux de façon à mettre en évidence ce qui leur est le plus caractéristique.

Recadrez-moi ça !

Choisis une peinture ou une image. Délimite un nouveau cadrage à l'intérieur de celle-ci. Peins-le en l'agrandissant.

Hors champ

Colle un morceau de reproduction d'une œuvre sur une feuille de papier et prolonges-en les bords en imaginant ce qui est en dehors du champ de l'image.

Dido, 10 ans

Enfant de 9 ans

Mise en boîte

Choisis une reproduction de peinture qui représente un lieu.
Dans une boîte à chaussures, reconstitue le décor en miniature. Fabrique le mobilier, perce les fenêtres, décore les murs...

Ensuite, retrouve le point de vue choisi par le peintre. Par de petites fenêtres percées dans les parois de ta boîte, observe les autres points de vue sur la pièce. Et pourquoi pas à la manière des cubistes ? Compose une seule image avec tous ces points de vue réunis.

Les distraits, les bavards, les studieux, les endormis du fond de la classe, les turbulents... tout un monde en miniature, modelé et mis en scène par Kikie Crèvecœur.

Mêler les langages

Les peintres d'aujourd'hui restent rarement enfermés dans "leur" discipline. Tout ce qui touche à la vie, à la création contemporaine, les interpelle. Toi aussi, peins en musique, lance-toi dans la réalisation du décor de la pièce que vous jouerez lors de la prochaine fête de l'école, propose à ton petit frère de créer des T-shirts inédits pour son équipe de foot ou sa chorale...

"Tendez votre oreille à la musique ;
ouvrez votre œil à la peinture. Et... ne pensez pas !"

Wassili Kandinsky

Casse-tête chinois

Un jour, une dame dit à Picasso : monsieur, pour moi, vos tableaux, c'est du chinois. Très calmement Picasso lui répond : madame, le chinois, cela s'apprend !

Méli-mél'art

Salvador Dali, Max Ernst, Yves Klein, font du cinéma.
Sonia Delaunay crée des vêtements.
Alexander Calder et Juan Miró inventent des jouets, Paul Klee, peintre et musicien, fait des marionnettes.
Pablo Picasso réalise des décors et des costumes de théâtre et Rauschenberg travaille pour des chorégraphes.
Henri Matisse, Juan Miró, Alberto Giacometti, Jean Dubuffet, Max Ernst, Robert Delaunay, Pierre Alechinsky, Edward Hopper illustrent des livres. Pierre Bonnard fait de la photo.

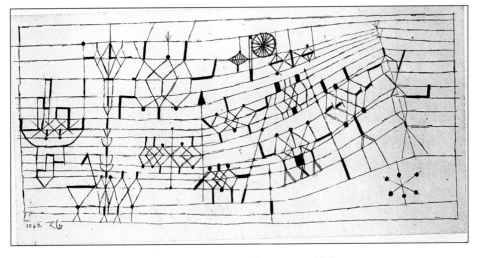

Paul Klee, *Figuren Schrift*, 1925, encre sur papier, 11,7 x 20,5 cm.

Né dans une famille de musiciens, Paul Klee prend des leçons de violon dès l'âge de sept ans et, à onze ans, il est attaché à titre de suppléant à l'orchestre de la ville de Berne. Après des études de peinture, il joue de nouveau comme premier violon dans l'ensemble municipal. En 1906, il s'installe à Munich après avoir épousé une pianiste, Lily Stumpf.

Avec sa femme et ses amis, il joue de la musique, habitude qu'il conserve toute sa vie. Lorsqu'il est nommé professeur de peinture au Bauhaus, il joue une fois par semaine dans un quatuor.

Quand les musiciens se font trop bruyants, le fils de Paul Klee, Felix, est envoyé chez Kandinsky qui est également professeur et habite la maison mitoyenne. La musique reste en peinture une référence ancrée dans les émotions et les réflexions de Paul Klee. Lorsqu'il parle à ses élèves, il sollicite le vocabulaire musical : rythme, polyphonies, harmonie, sonorité, intensité, variations...

Le Bauhaus

Le Bauhaus, qui veut dire "La maison du bâtir, de la construction" est une école d'art révolutionnaire fondée en Allemagne à la fin de la Première Guerre mondiale à un moment où s'impose la nécessité de nouvelles formes d'habitat.

Quelques-uns des artistes les plus importants de l'époque collaborent à cette école, qui voulait réunir l'architecture, la sculpture et la peinture. Kandinsky et Klee y furent professeurs. Les élèves devaient s'initier à toutes les disciplines artistiques. On trouvait des ateliers d'imprimerie, de menuiserie, de tissage, de métal, de peinture murale, de théâtre, de sculpture et de photographie. Chaque matin, les élèves pratiquaient la gymnastique et des exercices de relaxation, de respiration et de concentration (page 277). Le Bauhaus fut fermé sous la pression nazie en 1933 et plusieurs enseignants émigrèrent aux U.S.A. où ils développèrent l'esprit du Bauhaus.

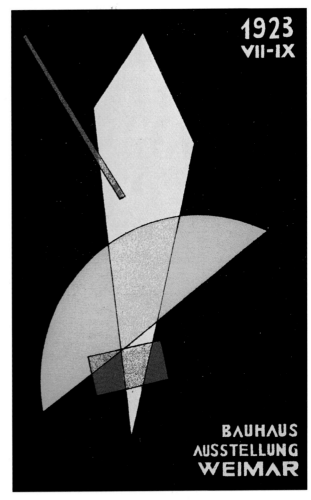

Affiche de l'exposition du Bauhaus à Weimar en 1923.

Melting art

La couleur des sons

Choisis des morceaux de
musique différents : un
morceau de musique
classique, un morceau de
musique contemporaine,
une musique africaine.
Munis-toi de peinture et,
au rythme de la musique,
trace, colorie, remplis une
feuille de papier de
couleurs. Une feuille par
morceau.

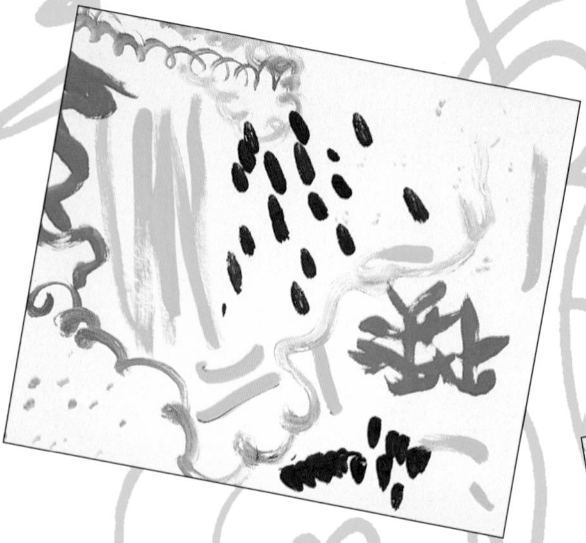

Haute peinture

Invente un costume
d'après un tableau célèbre.
Achète de la toile épaisse
(toile de calicot) et réalise
une tunique à ta taille.
Avec de la peinture
appropriée (page 35), peins
le tableau sur la toile et
puis... habite-la!

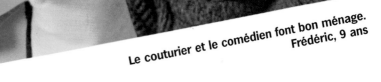

Le couturier et le comédien font bon ménage.
Frédéric, 9 ans

Peintre-sculpteur

Le sculpteur et le peintre qui sont en toi se rencontrent
pour donner vie à une sculpture en terre ou en pâte à
modeler. Peins-la et habille-la pour terminer.

Exprimer ses goûts, ses intérêts

Certains vivent à la campagne, d'autres préfèrent la ville. Certains ont le virus du voyage, d'autres quittent difficilement leur atelier. Certains aiment la nature, d'autres pas. Mondrian disait détester la Hollande ! "Trop de vert", expliquait-il. Parions qu'il en est même qui adorent le chocolat !

Les peintres eux aussi ont leurs passions, leurs manies, leurs croyances et celles-ci trouvent un écho dans leurs peintures.

Peintres et loisirs

Dès que Chagall en avait l'occasion, il se rendait au cirque d'Hiver à Paris.

A l'époque, il y avait peu de cinémas et pas de télévision. Les gens allaient donc plus au théâtre, à l'opéra ou au cirque.

Il a souvent peint des acrobates et des trapézistes.

Picasso, lui, était passionné par la corrida. Dans ses tableaux, il a souvent représenté des taureaux et des toreros.

Mondrian aimait danser et Cézanne nager.

Peintres globe-trotters

"Les voyages forment la jeunesse" mais forment aussi les peintres. Il y a des peintres qui ont voyagé uniquement par nécessité, comme les Delaunay qui ont séjourné en Espagne et au Portugal afin d'échapper à la Première Guerre mondiale. La lumière y est plus pure, leurs couleurs deviendront ainsi plus violentes.

D'autres peintres ont voyagé pour le plaisir. Matisse est allé au Maroc, en Corse... car il aimait la lumière méditerranéenne. Ses œuvres sont devenues plus colorées après ces voyages.

Picasso, Ernst, Chagall, Mondrian quittèrent leur pays natal pour Paris. Vivre à Paris, ville lumière, était le rêve de beaucoup d'artistes. Beaucoup d'artistes, fuyant le nazisme, ont dû quitter l'Europe pour les Etats-Unis.

Les voyages de Picasso eurent des implications plus personnelles. En allant à Rome en 1917, il rencontra Olga Khoklova, une danseuse des "Ballets russes", qui devint son épouse. D'autres peintres furent plus pantouflards. Degas n'aimait que Paris. Après un bref séjour en Louisiane dans la famille de sa mère, il dit : "Je ne veux plus voir que mon coin et le creuser pieusement".

Peintres et sujets

Souvent le même objet revient dans l'œuvre d'un peintre : les pommes de Cézanne, les aquariums aux poissons rouges de Matisse, les bouteilles de Morandi , les violons de Chagall ou les grelots de Magritte.

L'explication de cette présence réside souvent dans l'environnement immédiat de l'artiste.

Cézanne disait qu'il voulait conquérir Paris avec une pomme, la pomme était son modèle idéal parce qu'elle était facile à transporter, à changer de place et puis, surtout, une pomme n'a pas de crampe (tout modèle perdait patience avec Cézanne ; il lui fallait des dizaines d'heures de séances avant qu'il ne réalise son tableau).

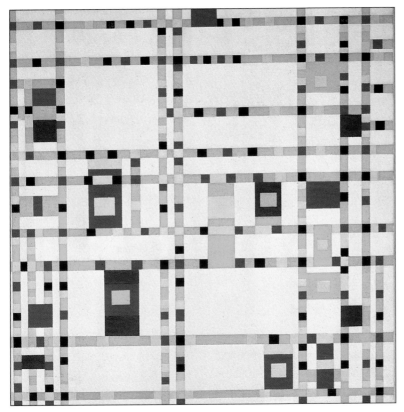

Piet Mondrian, *Broadway Boogie Woogie*, 1942-43,
huile sur toile, 127 x 127 cm.

Chagall était un très bon musicien et jouait souvent du violon.

On connaît les excentricités et les mises en scène loufoques de Salvador Dali, surnommé "Avida Dollars" sur la base de l'anagramme de son nom. René Magritte lui, un autre surréaliste, était toujours vêtu sobrement d'un costume sombre et portait un petit chapeau melon.

En 1940, craignant la guerre, Mondrian part pour New York. Il aime cette ville et s'enthousiasme pour le boogie woogie, une musique et une danse à la mode, au rythme rapide et syncopé dont il écoute des disques. Sa peinture évolue. Il ne cesse de retravailler, de repenser, de chercher... Il remplace les lignes noires et les aplats colorés par une trame colorée, en utilisant toujours exclusivement les couleurs primaires. A propos de cette toile, il aurait dit : "Je n'en suis satisfait que dans la mesure où je sens que *Broadway Boogie Woogie* constitue un progrès définitif, mais même cette toile ne me satisfait pas complètement. Il y a encore trop de vieux en elle." Mondrian a 70 ans et de nouveaux projets...

Dites-le avec des fleurs
Mondrian eut une mécène qui reconnut son talent mais n'aimait que les fleurs. C'est ainsi que pendant longtemps, pour remercier sa protectrice, ce peintre qui est le symbole de la rigueur linéaire la plus implacable dessina et aquarella des géraniums et des rhododendrons.

Guide du rout'art

Manie'art

On a tous des manies, des obsessions et cela revient, cela peut devenir un thème de prédilection pour certains. Utilise la technique que tu veux pour exprimer tes manies.
Sébastien est un fou de foot. Eric rêve de châteaux forts.

Enfant de 6 ans

Autoportrait grandeur nature

Voici enfin un autoportrait à "ta mesure". Etends-toi par terre sur une grande feuille de papier sur

laquelle un peintre copain trace tes contours. A toi de dessiner ton visage, tes vêtements et de te mettre en couleurs.

David, 9 ans

Il est doué !

Il y en a qui ont la bosse des maths, d'autres sont imbattables au foot !
Cela veut-il dire qu'une fée s'est penchée sur leur berceau pour leur accorder un don magique particulier ?
Ou tout simplement qu'ils sont passionnés par les maths ou fous de foot ?
En partie, oui, le talent ou le génie sont inexplicables. Mais en art comme en math, il y a des choses qu'on peut acquérir parce qu'elles nous passionnent, nous enchantent et qu'on a envie de les apprendre.

Les uns font des autoportraits "très" réalistes...

... les autres abstraits

Autoportrait chinois

Et si tu étais un arbre, un animal, un héros, une fleur, un repas, ce serait... Dessine ces éléments qui t'identifient particulièrement. Approprie-toi le célèbre tableau de Vermeer (*Jeune fille endormie*) en y plaçant tous ces éléments.

Enfant de 10 ans

Enfant de 10 ans

Les goûts et les couleurs, ça ne se discute pas ! Mais... cela se remarque !

S'engager, prendre parti

"On peut crier en se servant d'immondices. Et c'est ce que je fis."
Kurt Schwitters

Certains peintres se servent de leur pinceau comme d'une arme.

D'autres se servent de leur notoriété pour défendre une cause, appuyer une pétition ou encore, mettent leur art au service d'une organisation, d'une campagne d'information ou de sensibilisation du public : ils réalisent une affiche pour Médecins sans frontières, Amnesty International, la lutte contre le cancer ou la prévention du SIDA.

En travaillant, ces artistes s'engagent, prennent parti, se battent pour des idées, des idéaux, pour combattre le racisme, les extrémismes, la torture, la destruction de l'environnement, bref, pour changer le monde.

Leur œuvre nous interpelle.

D'autres encore préfèrent se taire : pendant la guerre 40-45, la femme de Matisse est dans la Résistance, puis en prison. Par respect pour ceux qui agissent, et parce que, selon lui, la gravité des enjeux ne permet plus de placer le débat sur le plan artistique, Matisse se met volontairement en retrait... et met au point sa technique des papiers découpés.

"Non, la peinture n'est pas faite pour décorer les appartements. C'est un instrument de guerre offensive et défensive contre l'ennemi." **Picasso**

Peintre-récupérateur

Kurt Schwitters abandonne la peinture figurative pour assembler au hasard des détritus de la vie urbaine : prospectus, tickets de tramway, morceaux de bois, de fer, de chiffons, de grillages, lambeaux d'affiches, couvercles de boîtes de conserve, ficelle, cartons ondulés, vieux boutons...
Ce poète-typographe-publiciste-peintre n'aura de cesse de recoller les débris du monde.

Ce tableau, un des plus célèbres de Picasso, a été peint peu de temps après que la ville basque de Guernica eut été bombardée par l'aviation allemande nazie, pendant la guerre civile espagnole, le 27 avril 1937. Le massacre a fait deux mille victimes civiles.
Le tableau réalisé pour l'Exposition internationale de Paris de 1937 a été mis en dépôt au Musée d'Art moderne de New York jusqu'en 1981. En effet, Picasso a exigé que la toile ne soit rendue à l'Espagne qu'à la condition que la démocratie y soit rétablie. A son retour à Madrid, le tableau fut exposé derrière un vitrage blindé sous la surveillance de soldats en armes.
"Guernica", comme un manifeste, est chargé d'un puissant symbolisme politique. Il est l'emblème d'un art engagé.

Pablo Picasso, *Guernica*, 1937, huile sur toile, 349 x 277 cm

Du tac au tac

Alors qu'il regardait le célèbre tableau "Guernica", un soldat allemand s'adressa à Picasso :
- C'est vous qui avez fait ça ?
Picasso lui répondit :
- Non, c'est vous !

Censure de guerre

L'année même de Guernica, Hitler inaugure à Munich une grande exposition d'"art allemand" et à côté, une exposition des principaux artistes modernes qu'il qualifie de "dégénérés". Des centaines d'œuvres confisquées par les nazis seront vendues, des milliers d'autres, brûlées. Les régimes totalitaires s'accommodent mal de la liberté de l'art et dictent leur loi aux artistes.

La peinture populaire à Kinshasa reflète la virulence des opinions de ses auteurs. Ces artistes sont souvent autodidactes, peintres d'enseignes pour coiffeurs ou de publicités d'échoppes. Ils peignent pour que tous voient et lisent ce qui est inscrit sur la toile. Ils vendent leurs œuvres dans la rue (ce tableau est peint sur une toile de sac de farine) comme gagne-pain et pour diffuser largement leur message. Ces peintres sont appréciés par la population locale et par les amateurs occidentaux ; ils le sont souvent moins des autorités qui interdisent les expositions et contraignent certains à l'exil.

Shula, *Kin la poubelle*, 1995, huile sur toile, 100 x 72 cm

Copains sur pied de guerre

Terrain d'adoption

Délimite un espace de quelques m² dans ton école, ta maison, ton quartier que tu "adoptes" et dont tu deviens le responsable. Rends-lui visite quotidiennement et veille à ce que tout y soit en ordre.

Fusion d'images télévisées et de situations vécues, les enfants de l'ex-Yougoslavie représentent la guerre. Le rouge, couleur du feu et du sang, est dominant.

C'est quoi un artiste ?

"Ah, celui-là, c'est un artiste", dit-on parfois pour parler de quelqu'un de bohème, d'indocile ou d'insoumis, d'original. C'est l'image qu'on se fait de l'artiste.

Un artiste c'est parfois quelqu'un qui éprouve le besoin de protester ou de remettre en question les idées reçues, qui prend le temps de poser un regard critique sur son époque, qui ne se soumet pas aux modes et qui l'exprime.

Des peintres qui hier avaient tort ont raison aujourd'hui ; d'autres très à la mode aujourd'hui seront peut-être complètement oubliés demain !

Alors, c'est quoi un artiste ?

Le poids des mots, le choc des photos

Une **affiche**, c'est un message. L'affiche doit surprendre, séduire, jouer avec les signes, les symboles, attirer le regard, aimanter. Pour cela, il faut qu'elle soit lisible grâce à ses couleurs, à la clarté de son texte...

Il y a mille et une manières de créer une affiche. C'est parfois la force d'un slogan percutant qui suggère l'image. Choisis le format standard 1,8 x1,2 m et utilise de la gouache pour la peindre. Tu peux aussi organiser une mise en scène avec tes copains et la photographier. N'oublie pas de réserver un espace pour le texte.

l'humour,c'est pas cher et ça peut rapporter gros

Pour créer un **slogan**, une petite phrase peut suffire ou même un seul mot pour résumer l'idée. Plus il est court, plus on a de chance de le retenir comme une formule magique, un mot de ralliement. Des images fortes peuvent parfois suggérer des slogans.

Les enfants ne "s'en fichent pas" !
La preuve, les voici qui expriment à travers une main leurs préoccupations et balisent leur environnement quotidien : l'école.
Les uns s'expriment en faveur de la solidarité des êtres humains, les autres contre la cigarette.

Tous HU-MAINS

MAINtenez la santé,
Stoppez la fumée !

Se souvenir, mettre en mémoire

Les peintres sont curieux, observateurs.
Dans leur coffre à trésors, on trouve des histoires d'enfance, des souvenirs visuels, sonores, des expériences de toutes sortes, des révoltes, des rêves, des obsessions... Toutes ces expériences emmagasinées peuvent resurgir un beau jour au sein d'une œuvre. Créer, c'est aussi dépenser ce capital de souvenirs, d'images, de rêves mis en mémoire.

Souvenirs d'enfance : petites histoires...

Paul Klee avait une grand-mère merveilleuse. Elle lui racontait d'interminables histoires. Paul écoutait charmé en crayonnant avec ses pastels. Sa grand-mère l'emmenait ensuite boire un chocolat dans le café de l'oncle Ernst. Paul était fasciné par les veines des tables marbrées qui formaient des branches, des silhouettes, des visages. Sa sensibilité sera également marquée par le souvenir du musée océanographique et de l'aquarium de Naples. Il traduira plus tard en couleurs ces souvenirs naïfs.

Wolfgang Laib, quant à lui, a incontestablement été marqué par les nombreux voyages en Perse et au Pakistan qu'enfant il a faits avec ses parents. Sa fascination pour le sol nu des mosquées visitées dans son enfance transparaîtra plus tard dans ses œuvres (page 130).

... et grandes expériences

Ce ne sont pas toujours de simples anecdotes d'enfance qui impressionnent le travail des artistes. Il a pu leur arriver de vivre à cette époque de leur vie des expériences déterminantes (exil, déportation, camps de concentration) qui influenceront définitivement le cours de leur travail.

Fixer la mémoire

Dans son agenda, bourré de croquis, Bonnard note le temps qu'il fait chaque jour. De retour dans son atelier, il peint, de mémoire.
De même, les peintres chinois méditent longtemps devant un paysage avant de le peindre, d'un trait, de retour à l'atelier. Ils réalisent en quelque sorte un "concentré" de paysage !

Pablo Ruiz y Picasso manifeste très tôt des dons exceptionnels. Il est le fils d'un professeur de dessin, José Ruiz Blasco. Celui-ci est nommé en 1891 à La Corogne, petite ville tournée vers l'océan tout au nord de l'Espagne. Pablo a dix ans. Sur un cahier de son père (c'est sans doute lui que l'on voit couché en haut à gauche), il dessine les personnes qu'il rencontre ; on reconnaît aussi la Tour d'Hercule, le plus ancien phare de La Corogne construit par les Romains.

Pablo Picasso,
La Coruña, 1894, carnet,
encre sur papier.

En 1911, Chagall vient de s'installer à Paris. Il arrive de Russie ; il est originaire d'une famille de commerçants juifs. Il peint ses souvenirs et ses visions imaginaires. "Je retournais en pensée, dans mon âme pour ainsi dire, dans mon propre pays. Je vécus en tournant le dos à ce qui se trouvait devant moi."
Il décrit un village où hommes et bêtes vivent à l'unisson. La composition en plusieurs plans est organisée par un jeu de diagonales qui se croisent.
Les deux figures sont inscrites dans un disque dont le centre est au point de convergence des diagonales. L'homme tient à la main un petit arbre de vie, thème qui est en relation avec la fertilité de la vache. Un paysan rejoint une femme qui, comme deux maisons, se trouve à l'envers. Chez Chagall, le réel côtoie l'irréel.

Marc Chagall, *Moi et le village*, 1911,
huile sur toile, 191 x 150,5 cm.

Mémoires en jeux

Enfant de 7 ans

La fois où...

Souviens-toi de la première fois où tu as :
- roulé tout seul à vélo ;
- cassé un œuf sans rompre le jaune ;
- sauté du plongeoir ;
- dormi ailleurs que dans ton lit ou sous tente ;
- découvert la mer, le zoo, les montagnes ;
- vu un arc-en-ciel.

Remémore-toi précisément les circonstances de cet événement. (Où, quand, à quelle heure, avec qui, combien de temps, quels vêtements, etc.)
Réalise un dessin ou une peinture de cet événement marquant.

Chambre à colorier

Ferme les yeux et visualise ta chambre à coucher.
Passe en revue toutes les couleurs qui l'habitent. Quelles sont les couleurs dominantes ?
Réalise une peinture composée de toutes ces couleurs en respectant les proportions mais sans te soucier de représenter les objets. S'il y a peu de jaune, ne peins qu'une petite surface de jaune. Si le bleu domine, peins une grande surface bleue.
Et ainsi de suite.

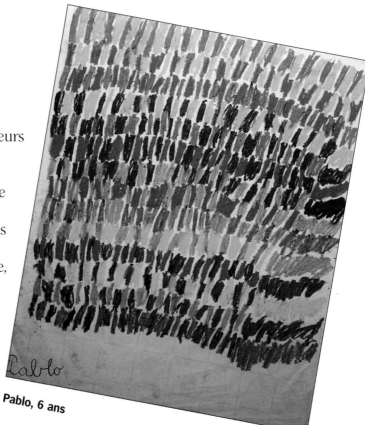

Pablo, 6 ans

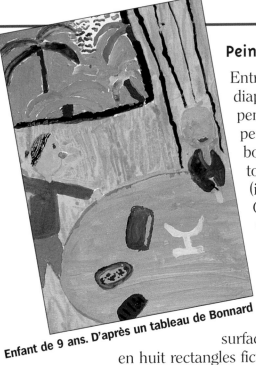

Enfant de 9 ans. D'après un tableau de Bonnard

Peinture par cœur

Entraîne-toi à mémoriser des images. Projette une diapositive d'un tableau. Regarde-la attentivement pendant cinq minutes. Voici quelques "trucs" qui peuvent t'aider à organiser ton souvenir. Regarde le bord supérieur : quels sont les éléments qui le touchent ? Fais de même avec les trois autres bords (inférieur, gauche, droit).

Quelle est la couleur dominante du tableau ? Combien de personnages sont représentés ? Ou encore : divise la surface du tableau en huit rectangles fictifs. Mémorise ce que contient chacun d'entre eux. Ferme les yeux. Revois l'image dans ta tête. Ouvre les yeux. Pêche encore quelques informations avant de commencer à peindre.

C'est 10 fois trop dur, il y a trop d'objets !

Enfant de 9 ans

Jeu de Kim

C'est une variante du jeu précédent. On projette un tableau comportant de préférence beaucoup d'objets. Chacun en mémorise le plus grand nombre, retient leur place dans l'espace du tableau. Puis on cache le tableau et on peint un objet à l'emplacement qu'il occupe dans le tableau. Ensuite on passe à un deuxième objet. Pour terminer, on regarde à nouveau le tableau. Qu'a-t-on oublié ?

Se défouler

Il arrive qu'on ait un besoin irrésistible de... faire n'importe quoi, quelque chose qui ne ressemble à rien. En un mot : "s'éclater" !
Après être resté trop longtemps assis, contraint à rester en place, à réfléchir, à être sérieux, concentré... si l'envie te prend de te défouler, il te reste à choisir : plonger dans une piscine, courir le marathon, souffler dans une trompette, ou... t'armer de peinture et "barbouiller" sans arrière-pensée, sans préméditation, un grand format de papier.

La peinture peut être un moyen de se libérer de ses tensions, d'exprimer son agressivité, d'exploser ! Peindre avec "ses tripes", mettre son énergie au service de la création, se libérer par la peinture : on est loin de la minutie au plus grand bénéfice de l'expression spontanée et de l'intention personnelle de l'artiste.

"Jack the Dripper" c'est ainsi que l'on surnommait Pollock, principal représentant de l'"action painting". Il a disposé sa toile sur le sol et jette avec frénésie la peinture en égouttant son pinceau ou en la laissant couler d'une boîte percée de trous (to drip = égoutter). Il marche autour de la toile et travaille à partir des quatre côtés. "Quand je suis dans mon tableau je ne suis pas conscient de ce que je fais" disait-il.

Jackson Pollock dans son atelier, 1950

"Messieurs les critiques disent souvent que mes tableaux ressemblent aux gribouillis et aux barbouillages des enfants. Si seulement c'était vrai !"

Paul Klee

Petits personnages faits de bouts de bois cloués et peints avec des couleurs vives... Karel Appel peint comme les jeunes enfants qui dessinent sans rien encore avoir appris. Il cherche dans son art la spontanéité des enfants pour qui peindre est un jeu. Il se libère de tout ce qu'il a appris à l'académie. On devine le plaisir qu'il a de tailler le bois, de clouer, de colorer avec ces couleurs élémentaires. Ce plaisir n'est pas partagé par tous : une fresque sur le même thème peinte l'année précédente à la cantine de l'hôtel de ville d'Amsterdam fait scandale et est recouverte jusqu'en 1959, époque où Appel était devenu un peintre célèbre. Les "Enfants interrogateurs" coupaient-ils l'appétit des fonctionnaires ? En 1948, l'année où fut peint ce tableau, Appel fonde le groupe Cobra (page 277) avec d'autres peintres et poètes. Cobra plaide en faveur d'une peinture gestuelle, exubérante, dépourvue de toute contrainte.

"Discours fou :

Fou c'est fou

les fous sont fous

être fou c'est tout

être tout c'est fou

ne pas être fou c'est tout

être tout n'est pas fou

être fou ce n'est rien

tout est fou

fou est tout

parce que tout est fou

pourtant tout est fou

et ne pas être fou c'est être fou

après tout rien n'est fou

les pas-fous sont fous

les fous ne sont pas fous

fou c'est fou

fou fou fou"

Karel Appel, *Enfants interrogeant*, 1948, reliefs de bois cloutés sur panneau de bois, peints à l'huile, 85 x 56 cm.

C'est pas des manières !

Haut les mains !

Remplis un pistolet à eau de peinture assez liquide.

Pose une feuille de papier sur le sol - que tu as préalablement pris soin de protéger - et projette la peinture dessus. Quand ton pistolet est vide, change de couleur et observe les mélanges.

Le défouloir

Choisis un endroit "stratégique" de la maison. Affiche un grand panneau blanc sur lequel chacun peut dessiner ce qu'il veut pour se défouler. Une seule règle : n'utiliser que des signes ; pas de lettres !

Jeux de mains...

Enduis tes mains de peinture et applique-les sur une longue feuille de papier. Fais de même avec tes pieds trempés dans la peinture et marche, cours, piétine la feuille de papier !

Tu peux aussi t'amuser avec du fusain.

Pinceau en hauteur

Attache ton pinceau à l'extrémité d'un bâton pour l'allonger de façon démesurée et peins au plafond ou sur une feuille fixée en hauteur.

Pinceau périlleux

Pose une grande feuille sur le sol. Plonge ton pinceau dans la peinture. Lance-le en l'air de façon à ce qu'il retombe sur la feuille en laissant une trace de peinture. Recommence en le lançant de plus en plus haut et en changeant de couleur.
(A réaliser de préférence en plein air !)

Sprint pictural

Tu disposes d'une minute pour réaliser une peinture sur un sujet donné.
A tes pinceaux ! Feu...
Partez !

Explosion

Organise une exposition (page 246) réunissant toutes ces œuvres faites pour te défouler.

Peindre, correspondre

Artistes, ou écrivains, célèbres ou anonymes, amoureux, prisonniers, ils s'écrivent...

Pour les artistes, la correspondance prolonge en quelque sorte leur œuvre. Dans les années 60, certains artistes ont utilisé leur correspondance comme expression artistique. Le Mail Art n'est pas vraiment un mouvement artistique mais plutôt un circuit parallèle créé par des artistes désireux de s'écarter des lieux institutionnels, des galeries. Ils se sont servis de la poste pour créer un événement, pour provoquer.

LA POSTE LE PEUT !

Monsieur Eric ADAM
214, Avenue Louise
1050 BRUXELLES

Monsieur Eric ADAM
Avenue Louise, 214
1050 BRUXELLES

Bernard Boigelot, *Bouillotte postale*, 1993.
En dévissant le bouchon de la bouillotte, apparaît une ficelle au bout de laquelle est reliée une longue et étroite bande de papier qui est la lettre.

D'une lettre à l'autre... Gaston Chaissac envoie une lettre à son ami Joseph Sanfourche. Il l'écrit au dos d'un courrier sur papier à en-tête de l'"Exploitation forestière et scierie des Halliers". Du côté du texte dactylographié qui confirme une livraison de bois, il fait un dessin, un drôle de petit bonhomme...

Gaston Chaissac, lettre manuscrite illustrée au dos, vers 1957, encre et stylo à bille bleu, 21 x 14 cm

Courants d'art

Dans la première moitié du XXᵉ siècle, les mouvements artistiques ont été définis par des -ismes. La plupart de ces noms nous ont été donnés par des critiques qui voulaient se moquer de ces nouvelles formes d'art : impressionnisme, cubisme, fauvisme...

Dans la seconde moitié du siècle, les tendances nouvelles - sans doute pour convaincre qu'il s'agit bien d'une forme d'art - se définissent toujours avec le mot art : land art, art minimal, art brut, body art, arte povera, mail art, etc.

Copains correspondants

KCC

Collationne toutes sortes d'éléments
pour te constituer le KCC (Kit
complet du Copain Correspondant) :
des tampons encreurs, des
photocopies de photos d'identité
rigolotes, des cachets faits main
(pages 112-113), des magazines pour
confectionner des enveloppes ou
découper des lettres de couleurs. Un
petit pot de colle et deux coups de ciseaux, te
voici devenu un véritable copain
correspondant.

Post Pâques

Au moment de Pâques, décore
un colis postal (disponible
dans le bureau de poste le
plus proche) et garnis-le
de surprises, œufs décorés
ou en sucre, qui résisteront
à leur voyage grâce à un
matelas en paille ou en mousse
colorée.

Cartes en vœux-tu en voilà...

Cartes d'invitation, d'anniversaire, de
félicitations, de vœux... Toutes les
occasions sont bonnes pour échanger
un message d'amitié.

Personnalise
tes envois en créant toi-
même ou en détournant des cartes
disponibles dans le commerce.

Chaîne

Tu t'intéresses à la protection de la nature, souhaites organiser un rallye vélo ou obtenir la réouverture de la piscine pour les prochaines vacances scolaires ?

Rédige ta proposition et illustre-la de façon percutante. Photocopie ton message et adresse-le à 5 amis qui l'adressent à leur tour à 5 autres. La mairie, débordée de courrier, ne pourra pas faire lettre morte !

Cassettes

Tu as un ami au bout du monde (ou de la France) ?
Adresse-lui une peinture sonore (une cassette enregistrée) dont tu décores joliment la boîte. Enregistre ton morceau de musique préféré, ton histoire favorite, le miaulement de ton chat, tes confidences et scelle la cassette par un cachet "confidentiel".

Trucs et astuces : le traficot'art

Comment décoller un timbre ?

La vapeur est le moyen idéal pour débarrasser une enveloppe de son timbre sans l'endommager, sans lui casser les dents. Tu peux aussi la tremper dans l'eau.

Comment fabriquer une enveloppe ?

Tu peux utiliser un papier blanc mais également une page de magazine sur laquelle tu colles une étiquette où tu écris l'adresse de ton correspondant.

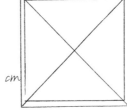

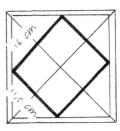

21 cm

1 cm

16 cm

11,5 cm

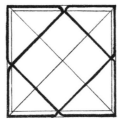

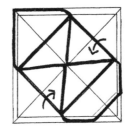

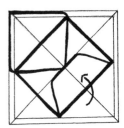

Peindre, regarder

"Quand je fais une tête, c'est pour comprendre comment je vois, pas pour faire une œuvre d'art."

Alberto Giacometti

Regarder un paysage à travers la vitre d'un train roulant à vive allure, à travers le feu, au sommet d'une dune.
Reconnaître son ami de loin, distinguer un personnage sous l'eau, derrière des lunettes colorées.
Observer un insecte au microscope, guetter une biche à l'affût.
Surprendre son chat dans un rêve ou en pleine colère.
Découvrir la ville du haut d'un de ses points culminants.

Regarder la nature

"La nature n'est qu'un dictionnaire.
Les peintres cherchent dans leur dictionnaire
les éléments qui s'accommodent à leur conception."

Eugène Delacroix

T'est-il déjà arrivé d'admirer un coucher de soleil, d'observer à la loupe l'écorce d'un arbre, de contempler un paysage ?
Si tu ouvres l'œil, tu découvriras de grandes et minuscules œuvres signées par la nature.
Si tu es inventif, tu pourras même transformer les matériaux qu'elle t'offre.
Et si tu n'es pas trop attaché à leur conservation, tu pourras à ton tour offrir à la nature tes réalisations, installées au creux d'une colline, au détour d'un sentier, dans un coin de ton jardin...

Quand le paysage remplace la toile du tableau : le land art

Des artistes à la fin des années 60 s'écartent délibérément des lieux consacrés de l'art pour se confronter à la nature, pour "piéger" dans leurs réalisations les mouvements du cosmos. Leurs œuvres sont généralement éphémères et seule une photo en conserve la trace (page 30).

Enfant de 10 ans

Fait d'hiver

Jean Messagier peint avec le concours du gel. Lorsqu'il fait très froid, il sort et dessine avec des couleurs à l'eau que le gel cristallise aussitôt, évoquant des formes comparables à celles qui s'emparent de la buée des vitres, de fougères, fossiles, draperies baroques...

Y a-t-il encore des peintres paysagistes ?

A toutes les époques, la nature a fasciné les hommes : ses végétaux, ses minéraux, sa croissance, ses formes et ses forces, le temps qui passe, le temps qu'il fait, l'immensité d'un paysage, les couleurs de l'aube, la précision d'une feuille...
Certains artistes se sont attachés soit à restituer des images de la nature soit à exprimer ce qu'ils ressentaient face à la nature, et donc à susciter l'émotion du spectateur. Turner a été un des premiers peintres à travailler en plein air. Il aimait peindre les phénomènes naturels. On raconte qu'un jour de violente tempête, il se fit attacher au mât d'un bateau d'où il pouvait mieux observer la mer en proie à la fureur des éléments.

Quand les éléments naturels remplacent peinture et pinceaux

Il existe encore des artistes qui font de la nature le matériau de leur œuvre. Ils lui empruntent des éléments végétaux, minéraux, organiques, des pierres, des cailloux, des feuilles ou du pollen, ils prélèvent des éléments pour les intégrer au sein d'une composition (page 130).

Dos à la nature
Piet Mondrian peignait dos à la fenêtre comme s'il voulait marquer par là que c'était à la nature ou au-dehors qu'il tournait le dos.

Au début du XIXe siècle, deux innovations techniques vont bouleverser l'histoire de la peinture : la photographie et ... le tube de peinture !

Peindre autre chose...

C'est en effet désormais la photographie et non plus la peinture qui va donner du monde la représentation la plus réaliste. Le peintre va donc librement pouvoir peindre autre chose que ce qu'il voit !

... et peindre ailleurs
En 1841, un portraitiste américain, John Goffe Rand, a l'idée d'utiliser des petits tubes en étain pour conserver les couleurs ; il fabrique à l'échelle industrielle des couleurs à l'huile en tubes d'étain. Jusqu'à cette époque, la plupart des peintres paysagistes réalisaient leurs tableaux à l'intérieur de leur atelier. S'ils allaient dehors, c'était encombrés de potiquets de toutes sortes. A présent, ils n'ont plus qu'à glisser quelques tubes dans leur poche, emporter une toile et un chevalet et partir dans la nature à la recherche d'images nouvelles.

Per Kirkeby, *Die Drei*, 1986, huile sur toile, 200 x 150 cm

Le Danois Per Kirkeby a une formation de géologue et a participé à de nombreuses expéditions au Groenland et autres pays arctiques. Il est aussi écrivain et cinéaste mais s'affirme surtout comme sculpteur et comme peintre. Il est l'ami de Beuys qui s'intéresse aux sciences naturelles. Ses tableaux ressemblent à des promenades ou à des explorations dans des paysages. Ils concrétisent une expérience personnelle et sont faits de superpositions de couches de couleurs différentes.

L'école-logique

Vein'art

(exercice de très près)

Lors d'une promenade dans la nature, récolte tout ce que tu trouves.

Choisis une feuille, un coquillage, une plume ou une pierre.

Observe à la loupe sa structure, ses veinures (page 160).

Recherche tous les détails.

Dessine-les à l'aide d'une plume et d'encre de Chine. Regarde plutôt l'objet que ton dessin.

Ce dessin peut être la base d'un paysage imaginaire.

Jessica, 9 ans

Panoram'art

(exercice de loin) Face à un paysage, essaie d'en saisir la structure générale (page 160), pas tous les détails. Comme le photographe cadre dans son viseur la portion d'espace qu'il va photographier, tu peux t'aider de tes mains pour choisir un morceau de la vue qui s'offre à toi. Commence par dessiner les grandes lignes, la ligne d'horizon (celle qui sépare le ciel de la terre). Evite de la situer à la moitié de ta feuille.

Patrick, 11 ans

C'est beau, c'est pas beau

Mais de quel beau s'agit-il ? Du mien ou de celui de mon voisin ? De celui d'hier ou d'aujourd'hui ? Et quel sera le beau de demain ?

Tous les goûts sont dans la nature dit le proverbe. Chacun juge donc selon le sien. Cependant, il se trouve toujours quelqu'un pour déclarer que le sien est le meilleur et vouloir l'imposer comme modèle.

Mais qu'est-ce que c'est le bon goût en art ?
Et puis, qui a demandé aux artistes de "faire du beau"?

Fuy'art

(exercice rapide) Pour tuer le temps en voiture (sur la route des vacances), arme-toi d'un carnet de croquis et d'un crayon. Observe le paysage qui défile à toute allure et prends des notes : la forme d'un arbre, une maison aperçue au loin, la ligne d'horizon en perpétuel mouvement.

Complique ensuite le jeu par une contrainte kilométrique :
• faire un dessin en 10 km
• faire un dessin tous les 10 km

Les effets de la vitesse sur un paysage ne sont pas faciles à traduire dans une image fixe ! Tu peux t'en approcher en partant d'une photographie que tu estompes dans le sens horizontal avec une éponge imbibée de solvant (du thinner, c'est un produit que tu trouves dans les drogueries ; attention, il peut être toxique).

Inspiration branchée

La nature t'offre sa palette... et ses outils ! En te servant de tiges, de rameaux, de branchettes, réalise une composition.

Sig'natures

La nature est ton support. Quelles traces peux-tu laisser dans la nature ? Celles de ton passage dans une belle étendue de neige ou de sable. Photographie ces œuvres éphémères pour en garder le souvenir.

Regarder les animaux

28.12.61.

Picasso, *La colombe*, 1961

Pablo Picasso est né à Malaga, dans le sud de l'Espagne, en 1881. Enfant, le petit Pablo colorie parfois le bec et les pattes des tableaux de colombes que peint son père. En 1949, il peint la "Colombe de la paix" et donne le prénom de Paloma, colombe en espagnol, à sa fille. Le motif de la colombe aura de l'importance dans toute sa vie. Depuis ses dessins d'enfant, les colombes se juxtaposent aux taureaux des corridas qu'il fréquentait en "aficionado".

L'animal occupe une place importante dans l'art comme dans la vie des peuples. On trouve des figurations d'animaux dans toutes les civilisations. Mais comment les peintres regardent-ils les animaux ?

"J'avais à faire cette perruche avec du papier de couleur. Eh bien, je suis devenu perruche !"

Henri Matisse

A la loupe : l'animal/animal

L'animal peut faire l'objet d'une étude approfondie, anatomique : dans ce cas, l'artiste s'efforce d'observer scrupuleusement la nature, de respecter ses formes, ses couleurs, ses caractéristiques et ses proportions afin de le représenter aussi fidèlement que possible.

Dans le miroir : l'animal/homme

Mais l'animal n'est pas toujours représenté pour lui-même. Dans les fables par exemple, les animaux sont les miroirs de la nature humaine. Ces récits dissimulent les qualités, les défauts et toutes sortes de péripéties humaines sous la forme animale.
Les personnages d'animaux permettent aux fables de s'adapter universellement.

Al fresco !

Lorsqu'il peignit le "Bœuf écorché", Chaïm Soutine avait dans son atelier une carcasse de bœuf comme modèle. Lorsqu'il s'aperçut que la viande commençait à s'altérer, il se rendit tous les jours à l'abattoir à la recherche d'un seau de sang dont il badigeonnait la carcasse, histoire de la rafraîchir un peu..

Sacrés animaux : l'animal/sacré

La signification symbolique des animaux varie d'une culture et d'une époque à l'autre. Elle provient presque toujours de la peur ou de l'admiration qu'ils inspirent aux hommes.

Sacré ou symbolique, l'animal est présent dans de nombreuses religions, légendes...

L'aigle symbolise souvent la puissance, le lion la force, le serpent la ruse...

Joseph Beuys, *I like America and America likes me*, 1974, performance, René Block Gallery, New York

Pour Joseph Beuys, les animaux sont synonymes de la nature elle-même. Tout enfant déjà, il vit avec les animaux et étudie leur comportement. Il fonde même le "Parti des animaux" ! Adolescent, il rêve de devenir berger...
Grièvement blessé pendant la guerre, il est recueilli par des Tatars nomades de Crimée qui le soignent en enduisant ses blessures de graisse et le réchauffent en l'enroulant dans du feutre. Marqué par cette expérience, Beuys accorde dans son œuvre une valeur particulière aux matières d'origine animale comme la graisse.

L' "action coyote (J'aime l'Amérique et l'Amérique m'aime aussi)" se déroule dans une galerie d'art de New York où Beuys se fait enfermer en compagnie d'un coyote. Le coyote est l'animal sacré des Indiens. Et pour cause, comme les Indiens eux-mêmes, il a été pourchassé par les Blancs. Enveloppé dans une couverture de feutre dont seul dépasse un bâton de berger, Beuys partage la vie de l'animal pendant trois jours et trois nuits. Chacun s'étant fait à l'autre, Beuys repart pour l'aéroport, comme il est venu, en ambulance, couché sur une civière. Il veut signifier par là que l'homme occidental, moderne et "civilisé", est malade et qu'il doit à nouveau être en contact avec les animaux, les plantes, la nature.

Le Chat de l'humoriste belge Philippe Geluk

L'Arche de Noé

Animots

Comme l'ont fait les peintres surréalistes, tu peux inventer des animaux hybrides, formés de parties d'animaux différents.

Choisis des noms d'animaux pourvus de trois syllabes. Imagine un nouvel animal constitué de la tête du premier, du corps du second et des pattes du troisième. Comment te représentes-tu le "crolénos" ?

Enfant de 7 ans

Autoportrait animalier

Es-tu doux comme un agneau, têtu comme une mule, bête comme une oie, rusé comme un renard... Choisis l'expression qui te ressemble et dessine-toi sous les traits de cet animal.

Schémanimaux

Découpe dans des magazines une famille d'animaux : les chats, les oiseaux, les poissons... Observe-les attentivement et essaie de les dessiner avec le minimum de signes qui permettent encore de les reconnaître.

Exerce-toi à les dessiner de mémoire.

C'est pas ressemblant !

Mickey Mouse ressemble-t-il à une vraie souris ? Donald Duck à un vrai canard ? Dans une caricature, un dessin animé, le dessinateur interprète ses personnages en s'écartant du réel. Et c'est ça qui est amusant.

Pourquoi en peinture persisterait-on à vouloir la maîtrise de l'artiste à représenter la réalité ? Ou peut-être bien que le peintre cherche simplement à nous faire découvrir le réel grâce à l'imaginaire.

Chat dessiné

Dessiner un chat, c'est essayer de le caresser de couleurs, de le faire miauler, bondir sur le papier. Parlons du chat : son caractère, sa douceur, son agilité, son pas feutré...

Chat-dormeur : profite de la sieste de ton chat (ou de ton chien !) pour le dessiner au repos. Attache-toi à rendre le plus fidèlement possible la texture de son poil, ses couleurs, les effets d'ombre et de lumière (pages 140-141).

Si tu n'as pas d'animal, tu peux te rendre au musée des sciences naturelles ou encore travailler à partir d'une

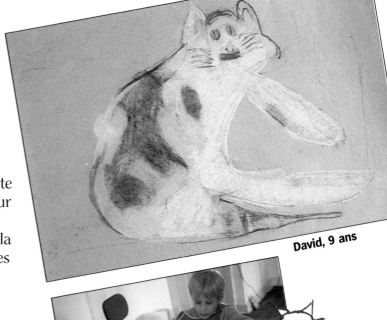

David, 9 ans

photographie. La carte à gratter, l'encre de chine et la plume conviennent bien à ce type d'observation minutieuse.

"Chatmailleur" : comment dessiner le même chat en colère, en mouvement ?
Pour dessiner des animaux en train de

Sylvain, 8 ans

bouger, tu devras te contenter de poses éclair. Mais c'est souvent dans l'urgence que l'on réalise les croquis les plus expressifs. Le crayon, le marqueur conviennent bien à ces croquis sur le vif (pages 40-41).
La rapidité ou la lenteur de ton trait rend ton dessin expressif, même si la "forme" n'est pas fidèle à la réalité.

Patrick, 11 ans

Regarder le corps humain

Depuis toujours, l'homme "joue" avec son image. Dans de nombreuses tribus d'Australie, le maquillage accompagne les rituels de guerre, de danse, de cérémonies. Par la peinture et le tatouage, le corps entier devient surface ornementale. Les arts du corps constituent parfois tout un langage, les motifs renseignent aussi sur le statut social, l'âge.

La peinture traditionnelle, mettait souvent en scène les "puissants", comman-ditaires de l'œuvre (personnages influents de la vie politique, sociale ou religieuse) et ce, qu'il s'agisse de scènes "de genre", de scènes de la vie quotidienne ou de récits mythologiques ou religieux. Aujourd'hui, le portrait de commande n'est plus très en vogue et le photographe a remplacé le portraitiste.

Si la figure humaine est moins présente qu'autrefois dans la peinture, elle n'en a pas perdu sa place pour autant : des portraits de Giacometti aux "femmes-pinceaux" d'Yves Klein en passant par les tatouages ou le maquillage, l'être humain et son corps n'ont pas déserté la création contemporaine !

En mars 1960 a lieu dans une galerie parisienne une curieuse cérémonie. Le sol et les murs sont recouverts de grandes feuilles de papier. Un orchestre joue solennellement. Trois modèles féminins s'enduisent le corps de peinture bleu outremer puis s'allongent par terre et s'appuyent contre le mur pour y laisser leurs empreintes.
Yves Klein nomme "Anthropométries bleues" ces peintures réalisées par des "femmes-pinceaux".
Il conteste la peinture de chevalet traditionnelle et envisage des manières différentes de rendre le réel sans particulièrement le représenter.
Depuis les années 60, la peinture rencontre de nouvelles pratiques artistiques. Avec elles, elle envahit l'espace, devient spectacle, happening, performance, installation ou environnement.

Yves Klein, *Anthropométrie sans titre*, 1961, résine, peinture sur toile, sur papier, 156 x 108 cm

Miroir, miroir...

Quand il entrait dans son atelier, le peintre Tal Coat commençait toujours par réaliser un autoportrait, comme si avant de peindre, il lui fallait retrouver ses traits en quelques coups de crayon.

"Je dessine et danse en même temps, me tortillant et serpentant."
Jean Arp

Au bic, au crayon, à la peinture, Giacometti tisse tout un réseau de lignes ou de traits qui inscrivent le modèle dans un espace. Diego, son frère, ainsi que quelques proches servent quotidiennement de modèles tant pour ses peintures que pour ses sculptures. Ses personnages sont soit assis, soit debout, toujours de face.

Alberto Giacometti, *Diego à la chemise rouge*, 1954, huile sur toile, 81 x 65,5 cm

Poseur, Croqueur...

Poseur !

Entre copains, entraînez-vous à dessiner des attitudes. Pour cela, l'un d'entre vous va "poser" et les autres vont le dessiner.

Voici quelques astuces pour "croquer" un personnage :

- ne dessiner que le contour du personnage sans lever le crayon.
- dessiner les personnages de la main gauche pour les droitiers et de la main droite pour les gauchers.
- dessiner sans regarder sa feuille.
- commencer par les pieds au lieu de la tête.

L'idée est de rendre compte de son "allure générale" sans s'attarder sur les détails de sa présentation !

Changez de "poseur" toutes les minutes pour vous "faire la main" ! Mettez-vous tout autour de lui : certains le verront de face, d'autres de profil, d'autres encore de trois quarts ou de dos. Quelles sont les différences ? Et si le poseur bouge un peu, ne vous énervez pas : ce n'est pas une "nature morte", heureusement !

Enfant de 10 ans

Enfant de 10 ans

Je ne sais pas dessiner !

Et s'il suffisait simplement d'apprendre à regarder ?

Le corps en mesures

"Mesurer" ton personnage va te servir à ajuster ses proportions par comparaison.

- Tends ton bras et ferme un œil.
- Place la pointe du crayon à l'extrémité du segment que tu veux mesurer et repère sa longueur avec ton pouce.
- Compare alors ce segment à un autre. Est-il deux fois plus grand ou trois fois plus petit...

Trace les deux segments en respectant les proportions que tu as observées.

Ici, la longueur de l'oiseau (à droite) rentre 5 x dans celle du personnage pointé. La largeur de l'oiseau (le crayon doit alors être tenu horizontalement) est la même que celle du personnage.

Marionnettes

Avec quelques copains, adaptez une histoire pour la jouer en marionnettes. Chaque personnage sera représenté par une main maquillée en couleurs. Autant de mains que de personnages pour jouer la pièce.

Maquillage

Déguise-toi en poire, en bergère, en sapin de Noël... et avec de la peinture appropriée (peinture antiallergique disponible en droguerie ou dans les magasins de farces et attrapes), réalise un maquillage conforme à ton costume.

Pantin articulé

Dans du carton, découpe la tête, le corps, les bras et les jambes d'un personnage vu de face et de profil. Assemble les pièces avec une attache parisienne à chaque articulation. Sers-toi de ton pantin pour dessiner.

Les Grecs, eux, vont établir les critères du corps idéal en fonction de nombres. Ils vont inventer un modèle basé sur les proportions idéales, le "canon à huit têtes": tu peux t'exercer à le mémoriser.

Regarder les objets

Sous l'œil curieux des artistes, les objets les plus "anodins", les plus usuels prennent une tout autre importance.

En représentant, décorant ou intégrant de véritables objets dans la peinture, les peintres nous invitent à les regarder différemment.

Giorgio Morandi, *Grande nature morte à la lampe de pétrole*, 1976, eau–forte sur cuivre, 30 x 36 cm

D'une grande sobriété, l'univers de Morandi est fait d'objets sans histoires. Durant toute sa vie, passée dans les environs de Bologne, il n'a cessé de peindre et de graver des natures mortes à partir d'un répertoire répétitif de bouteilles, coupes, verres, carafes, flacons... Il les dispose frontalement, devant un fond uni et crée entre eux une harmonie. Les teintes sont pâles et douces : gris, bleus, oranges... La présence silencieuse devient parfois énigmatique.

Peindre des objets

Si on te parle de "nature morte", sans doute te représentes-tu une situation un peu morbide, figée ! Et pourtant, la représentation d'un ensemble d'objets inanimés, fleurs, fruits, vaisselle, nourriture... permet au peintre de nous transmettre sa vision du monde, sa sensibilité aux choses. Et ce n'est pas forcément triste !

Peindre avec des objets

Mais les objets ne se prêtent pas exclusivement à une mise en scène ou une composition. Peu à peu, des objets réels prennent place dans des tableaux : Picasso colle sur l'une de ses toiles ("Nature morte à la chaise cannée") un petit bout de toile cirée. Fini de s'astreindre à reproduire la réalité par des trompe-l'œil et des imitations minutieuses, désormais on fait rentrer le réel dans la toile. Toute une révolution ! Duchamp expose tels quels dans un musée des objets achetés dans des grands magasins ! Il pousse l'audace jusqu'à exposer un urinoir et le baptiser "Fontaine" (page 248). Le "ready-made" était né. Les artistes détournent les objets de leur fonction et de leur banalité pour inviter le spectateur à porter un autre regard sur les choses : poétique, humoristique ou contestataire.

Peindre sur des objets

D'autres artistes ont eu à un moment donné l'envie de s'adonner à la décoration ou à la conception d'objets.

C'est avec ses tableaux représentant des bouteilles de Coca-Cola que Warhol, alors dessinateur publicitaire, fait son entrée dans le monde de l'art. Après les bouteilles de Coca-Cola, il peint des boîtes de soupe Campbell et des dollars américains. Il dresse, avec une certaine froideur, des portraits fidèles de ces objets pris dans la vie quotidienne, tous symboles de la société américaine. En 1962, il découvre la sérigraphie qui lui permet de répéter plus vite la même image sur plusieurs rangées. Star médiatique, Warhol est surnommé le pape du Pop.

Andy Warhol, *Green Coca-Cola Bottles*, 1962, sérigraphie, 210 x 267 cm

Valeur d'une œuvre d'art

Jusqu'au XVIIᵉ siècle, le nombre d'heures passées à la réalisation d'un tableau déterminait sa qualité... et sa valeur !
Aujourd'hui, tel dessin de Picasso, réalisé distraitement sur une nappe de café, se vendrait plusieurs milliers de francs.

Musée de l'objet

Détritus de toutes sortes, mannequin de plastique, bouddha en méditation devant une carcasse de télévision, horloges, robinets, boîtes de conserve, fer à repasser hérissé de clous, porte-bouteilles... voilà ce qui t'attend si tu visites un jour le musée de l'Objet de Blois. Place aux poètes-bricoleurs qui s'emparent des objets du quotidien pour leur redonner vie.

Pop art

La naissance de la grande industrie avec l'apparition de l'objet en série va modifier les comportements du consommateur. Dans les années 50, les d'objets, devenus jetables et éphémères, perdent de leur valeur. C'est dans ce contexte qu'aux Etats-Unis naît un mouvement qui élève l'objet quotidien de la société de consommation au rang de star. Ce n'est plus la nature qui fournit son sujet à l'art mais les grands magasins, la rue. Les artistes du Pop Art vouent aux objets un véritable culte.

Pris au mot

Lors d'un vernissage à la galerie Castelli à New York, Robert Rauschenberg vanta auprès de Jasper Johns les qualités commerciales du galeriste. Celui-ci, prétendit-il, serait capable de vendre des canettes de bière en affirmant qu'il s'agit d'art. Jasper Johns prit son ami au mot et réalisa une sculpture représentant deux canettes de bière qu'il plaça sur un socle. Selon la prédiction de Rauschenberg, Castelli les vendit à un très bon prix.

Objets d'Art

Vitrines à croquer

Dans ton quartier, les vitrines des magasins sont de véritables mises en scène d'objets. Munis-toi d'un crayon et de ton carnet de croquis (de quelques copains aussi) et va manger des yeux et croquer du crayon l'étalage du pâtissier, les pyramides de fruits de l'épicier, les alignements de pains du boulanger.

Composition

Lorsqu'on fait un bouquet, on dispose les fleurs d'une certaine manière, on choisit leurs couleurs, leur place. Pour faire une composition d'objets, on prend des décisions semblables. Composer un dessin veut dire organiser les éléments dans sa page. Pour t'aider à choisir ta composition, fabrique-toi un viseur (page 160). Choisis quelques objets (un bol, une assiette, un œuf...) que tu disposes au premier plan. (Ou l'inverse.)

A l'aide de ton viseur, choisis ton cadrage. Ce que tu vois correspond à ce que tu vas représenter sur ta feuille.

Pour équilibrer ta composition, veille à ce que les quatre bords de ton cadre soient "touchés".

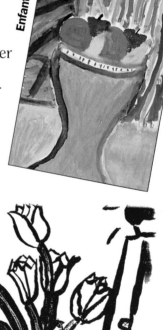

Enfant de 9 ans

Enfant de 9 ans

Enfant de 8 ans

La main qui regarde

Rassemble des objets très différents au toucher mais pas dangereux (éponge, brosse, fouet de cuisine, râpe à fromage, tire-bouchon, écorce, etc.).
Place chaque objet dans un sac en plastique pour qu'il soit invisible.
Donne un sac à chaque copain. Yeux fermés, chacun dessine l'objet qu'il découvre uniquement en le touchant de l'autre main (celle qui ne dessine pas). Même si on a reconnu l'objet, il ne s'agit pas de dessiner de mémoire sa forme mais bien de trouver une façon de rendre compte de sa consistance : du dur, du mou, du bois, du rugueux...
Ensuite, affichez les dessins et essayez de deviner l'objet uniquement en le qualifiant : c'est doux, c'est mou, il a des trous, il griffe....

Livres au frais

Au milieu des années cinquante, Dotremont vécut dans une telle misère matérielle qu'il récupérait les vieux frigos qui traînaient sur les poubelles pour en faire des bibliothèques.

L'objet insolite

Choisissez au hasard deux objets dans la pièce. Inventez un nouvel objet fait à partir de ces deux objets et dessinez-le.
Faites breveter votre invention !

Un batteur avec loupe incorporée

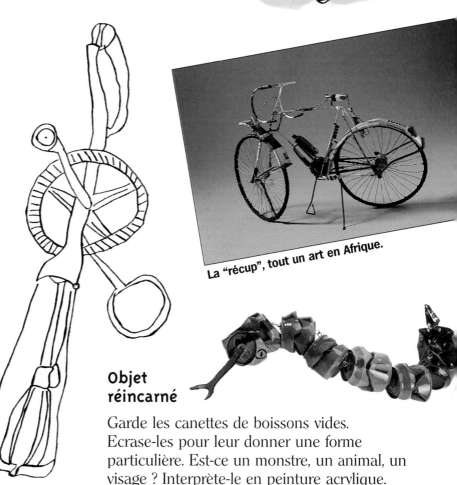

La "récup", tout un art en Afrique.

Objet réincarné

Garde les canettes de boissons vides. Ecrase-les pour leur donner une forme particulière. Est-ce un monstre, un animal, un visage ? Interprète-le en peinture acrylique.

Regarder la ville

Il y a ceux qui l'aiment et ceux qui lui préfèrent un petit village blotti au creux d'une vallée. La ville fascine et inquiète à la fois. Pourtant c'est bien souvent au cœur de la ville que naissent les nouvelles idées. Lieu de rencontre, de culture, de circulation, d'échange, de travail, la ville est une véritable "forêt d'images" !

"Les couloirs du métro font des clins d'œil à Picasso"
Catherine Lara.

La ville des "paysagistes"

C'est aux architectes et aux urbanistes que l'on confie le soin de concevoir des bâtiments mais aussi des villes.

L'architecte français Le Corbusier a dès 1943 résumé les quatre fonctions de la ville : habiter, travailler, cultiver son corps et son esprit, se déplacer.

Le travail des architectes et des urbanistes ne se limite pas à utiliser les techniques de la construction. Il leur incombe aussi de créer de nouvelles formes pour embellir le paysage urbain et améliorer la qualité de la vie de ses habitants.

et celle des peintres

La ville bouge, grouille, s'anime...

Transposer la mobilité de la ville dans une toile fixe paraît impossible. Pourtant, de nombreux artistes ont relevé ce défi. Tentant, non, quand on est confronté à un tel foisonnement d'images : affiches, publicités, enseignes lumineuses, vitrines de magasins, panneaux de signalisation... ?

Cette effervescence de la ville est à l'origine du virus du tag et du graffiti.

Tag story

En 1969 se développe à New York un formidable mouvement "graffitiste".

A l'origine, les *graffitis* sont des messages écrits ou graphiques spontanés, gravés, entaillés ou incisés dans l'espace urbain. Les bancs publics, les arbres du parc, les murs de la ville, les couloirs du métro, les quartiers populaires sont leur terrain de prédilection. Par un message écrit, un mot d'humour, un mot d'amour, un dessin interdit, complice, "monsieur tout le monde" peut engager la conversation avec les murs, avec la pub, avec le passant, exprimer son angoisse, sa violence, sa tendresse...

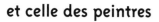

Le tag - désignant au départ une étiquette qu'on colle sur les bagages - est une sorte de signature écrite au feutre ou à la bombe qui associe le nom de son auteur et le numéro de sa rue.

Le tag est une manière de sortir de l'anonymat, de se faire connaître.

Le tag s'apparente au graffiti parce qu'il est tracé illégalement sur un support qui n'est pas destiné à cela !

Haut en couleur

Au cours des années 70, le peintre Fromanger voulait réaliser une série de tableaux sur le thème des émigrés qui travaillent à Paris. Aussi s'intéressa-t-il particulièrement aux Maliens qui débarquaient de leurs villages africains, souvent sans savoir lire. Il apprit que, pour s'orienter dans le métro ou dans les rues, ils disposaient d'un langage de couleurs. Il leur suffisait de trois couleurs pour pouvoir identifier un lieu.

La ville, tout un art !

Alerte à la bombe !

Dans les années 70, des mesures furent prises par la ville de New York pour réprimer le mouvement "graffitiste" (page 204) : une loi interdit la vente des gros marqueurs ou des bombes aérosol aux moins de 18 ans. Un coin à "écrivains" fut aménagé dans le métro. On revêtit les voitures du métro d'une fine pellicule anti-tags... Mais rien n'arrêta les "graffitomaniaques" du monde entier. Pas même d'être condamnés à nettoyer toute une journée les murs tatoués ou pire, à payer des amendes de plus en plus lourdes...

De la rue au musée

Des artistes qui à l'origine préféraient l'illégalité, le brouhaha de la rue ou du métro pour s'exprimer se voient invités par des institutions culturelles, des musées, ou engagés par des agences de publicité. Pour leurs qualités de communicateurs mais aussi parce que la publicité a l'art de capter les images existantes, les nouvelles idées. D'autres artistes utilisent les moyens de la publicité pour montrer leur travail et s'emparent des murs, des lieux publics, des panneaux pour les "graffiter" avec beaucoup d'adresse ou "pirater" les affiches de publicité. L'un dénonce la société en répandant ses messages à travers la ville, un autre expose dans les Abribus !

L'artiste américain Keith Haring aime dire qu'il est un enfant de l'ère spatiale puisque l'année de sa naissance coïncide avec celle de la mise sur orbite du premier satellite. Il est décédé du sida en 1990 à l'âge de 31 ans.

Après ses études artistiques à New York, Keith Haring s'intéresse aux tags et aux graffiti. Il est attiré par la spontanéité et la vitesse d'improvisation et d'exécution d'Alechinsky et des taggers. A partir de 1981, il recouvre les murs du métro new-yorkais et la même année, il expose dans une galerie d'art. Ses dessins sont inspirés de la B. D. et des images électroniques. Ses petits personnages rapidement dessinés, stylisés, prennent un caractère universel qui fait leur popularité.

Son domaine d'activité est la rue pour que l'art soit à la portée de tous. Pour lui, l'art c'est communiquer. Dans cet esprit, il a ouvert à New York, puis à Tokyo, son propre magasin, le Pop Shop. On y trouve T-shirts, badges, affiches et toutes sortes d'objets imprimés avec ses dessins.

Keith Haring à Pise

La ville est belle

Parcours d'artiste

La ville est un réservoir de formes et de motifs graphiques. Apprivoise-les.

Va te promener dans ton quartier en t'intéressant à tous les ornements architecturaux : les motifs de ferronnerie des grilles ou des balcons, un enchevêtrement d'antennes de télévision, les fenêtres ; dessine-les dans ton carnet de croquis.

Poch'art

Le pochoir est une plaque (de métal, de carton) découpée. La forme évidée permet de reproduire facilement plusieurs fois le même motif (page 81). Dans un morceau de carton fort, fais un dessin que tu évides à l'aide d'un cutter.

Reproduis ton dessin sur le support de ton choix : une vitre, une carte de vœux, un mur, un trottoir... avec un rouleau enduit de peinture ou une bombe aérosol.

Bruitages

Cacophonie de klaxons, concerto pour ambulances et pompiers...

La ville est une véritable salle de concert, pas toujours harmonieuse. Grinçants, agressifs, murmurés, proches ou lointains, les bruits de la ville ont quelque chose à te dire... Comment transcrire le passage d'un avion, l'arrivée d'un train en gare, les cris du marchand, le sifflet de l'agent de police ?

Entre copains, partez enregistrer les bruits de la ville.

A votre retour écoutez la cassette et simultanément, essayez de traduire en signes graphiques les bruits que vous entendez. Puis essayez de les reconnaître, de les qualifier...

Panorama

La fenêtre de ta chambre donne-t-elle sur les toits ?

Excellente occasion d'apprivoiser un paysage urbain...

Avec un marqueur de couleur foncée, trace sur la vitre un petit rond qui te servira de viseur. Ferme un œil en regardant à travers ce viseur et repère ce qui se trouve à l'intérieur de ce rond : ce sera ton point de repère.

Ainsi, si tu bouges, tu pourras toujours retrouver ta position de départ.

En gardant un œil fermé, trace sur la vitre toutes les lignes que tu aperçois. Quand tu as terminé, ouvre la fenêtre et place une feuille derrière la vitre.

Regarde comme ton dessin est "juste" !

Loin de ta chambre, tu peux aussi faire de même avec une plaque de Plexiglas que tu emportes avec toi. Si tu photocopies ensuite ton dessin, tu pourras t'amuser à le mettre en couleurs.

Certains n'hésitent pas à utiliser les "grands" moyens pour dire leur amour.

Quartier de chic ou de choc

Chaque ville est constituée de quartiers ; on passe du haut au bas de la ville, des quartiers commerciaux ou résidentiels, de chic et de choc. Fais le portrait de ta ville en croquant ses différents quartiers.

Regarder la vie quotidienne

L'artiste, comme toi et moi, vit ici et maintenant.
Comme toi, les artistes ont une histoire personnelle, ils vivent à la campagne ou en ville, ils ont des loisirs, des relations, des amis, des passions, connaissent des problèmes, des événements heureux !

A toutes les époques, les artistes ont partagé les préoccupations de leurs contemporains. Autrefois, en peinture, on appelait "scènes de genre" les tableaux qui représentaient la vie quotidienne, les conditions de vie, les habitudes, les mœurs, d'une époque. A posteriori, ces tableaux ont donc aussi un intérêt documentaire.

Je ne sais pas quoi faire

Tu as envie de peindre mais pas d'idées ? Ça arrive. Comment trouver l'inspiration ?
Regarde autour de toi : chasse les idées dans la rue, dans la maison, la nature. Pars d'une parole que tu as entendue, d'une émotion que tu as ressentie, d'un souvenir. Adapte une ancienne idée, combines-en deux entre elles (pêche dans ton Copain des peintres).
Un bon truc préventif: le carnet d'idées dans lequel tu notes ou dessines tous les jours les idées qui te passent par la tête, réservoir garanti pour les jours de panne sèche.

Bouche-trou

Un jour, Paul Cézanne constata que les poules s'échappaient de leur poulailler par un trou dans la porte. Pour boucher le trou, il prit ce qu'il avait sous la main : le tableau qu'il avait peint ce jour-là !

Robert Rauschenberg, *Signs,* **1970, sérigraphie sur papier (143/250), 107,5 x 86 cm**

Cette sérigraphie intitulée "Signes" porte bien son titre. Rauschenberg établit comme une chronique de son époque où l'on reconnaît J.F. Kennedy, Janis Joplin, Niel Armstrong, Martin Luther King, des soldats américains et même les pointillés de Roy Lichtenstein (à l'extrême droite). La sérigraphie (page 108) permet par des procédés photochimiques, de reporter sur l'écran de soie puis d'imprimer sur le support n'importe quelle image. Construite à partir d'un collage de photographies, cette œuvre a été éditée en 250 exemplaires.

Petites histoires...

Certains artistes puisent tout simplement leur inspiration dans les événements de la vie quotidienne. Tout peut devenir "sujet" d'une toile : une soirée avec des amis, une aventure amoureuse, un séjour à l'hôpital... A y regarder de plus près, l'environnement quotidien peut fournir bien des thèmes de leur peinture aux artistes.

... et grande Histoire

L'histoire de l'humanité est jalonnée d'événements marquants. Guerres, famines... l'artiste ne peut pas rester indifférent à ce qui se passe dans le monde. Il arrive qu'il cherche à nous interpeller, à nous faire réfléchir à travers une création artistique.

Jiri Kolar, *La Dame et le Douanier*, Elche, Coupe du monde de football Espagne 82, 1982, offset en quadrichromie, 95 x 60 cm

Rares sont les artistes qui se distinguent dans des disciplines sportives comme l'a fait Yves Klein en judo (page 123) ; cela ne les empêche pas de pratiquer certains sports comme loisir ou d'incorporer des images d'athlètes ou de compétitions à leur propre langage. Pour les Jeux Olympiques ou pour des championnats d'Europe ou du monde, il est devenu habituel de commander aux artistes des séries d'affiches ou de posters. Kolar, parmi d'autres artistes, a réalisé une affiche à l'occasion de la Coupe du monde de football en 1982.

David Hockney, *A Bigger Splash*, 1967, acrylique, 242 x 243 cm

D'origine anglaise, David Hockney est installé à Los Angeles depuis 1964. Il décrit ce qui l'entoure : portraits de ses proches et scènes de la vie quotidienne. Il est le peintre d'une certaine douceur de vivre californienne liée à une réussite sociale. Ses peintures de piscines l'ont rendu célèbre. L'eau le fascine : sa transparence, ses reflets et ses effets de lumière et de réfraction...
L'art d'Hockney est réaliste, les couleurs sont vives et chatoyantes.

Scènes de la vie quotidienne

Je voudrais 3 journaux et 4 magazines

Capteur de temps

Toi aussi, à ta façon, tu peux collectionner le temps, les événements de la vie quotidienne.

Procure-toi un agenda ou un carnet de croquis, ou encore un cahier ordinaire et écris, dessine, colles-y un souvenir de chaque jour qui passe.

Tu recueilleras dans ce carnet une foule d'idées pour de futures peintures à réaliser.

Sur le chemin de l'école

Tous les jours, tu te rends à l'école en empruntant le même chemin. A pied, en voiture, à vélo, en tram, en métro, en bus... Ce trajet t'est probablement devenu si familier qu'il te semble banal.

Et si tu essayais de le regarder autrement ? Débusque les choses amusantes, insolites, curieuses, belles qui le jalonnent, les personnages que tu croises quotidiennement, leurs habitudes. Fais-en un collage, une peinture, une bande dessinée ou un photomontage.

Passé recomposé

Réactualise une scène de vie d'autrefois en l'adaptant au goût du jour. Choisis une reproduction de tableau ancien et redessine-la en substituant aux objets, costumes, activités d'hier des éléments actuels. Reconnaît-on encore l'image que tu as adaptée ?

Bon anniversaire !

Voilà un travail à long terme !

Chaque année, le jour de ton anniversaire, découpe toutes les images contenues dans le quotidien du jour ainsi que quelques légendes. Commente-les. Accompagne-les de réflexions ou de dessins personnels. Plus tard, tu pourras te rappeler les événements qui se sont produits chaque année à cette date mémorable.

D'après un intérieur de Pieter de Hooch

A 6 000 km, la vie quotidienne, c'est autre chose, c'est aussi cela...

A table !

René Magritte n'avait pas d'atelier. Il peignait sur la table de la cuisine. Quand sa femme Georgette annonçait que le dîner était sur le point d'être servi, il rangeait ses pinceaux et ses tubes de couleur, repliait le chevalet sur lequel était posé le tableau en cours et rangeait l'assiette sur laquelle il faisait ses mélanges.

Expositions, petits faits divers, messages personnels... Réalise un journal qui illustre tous ces petits et grands événements de la vie de classe

Peindre, imaginer

Chacun de nous possède, enfouie au fond de lui, une réserve inépuisable d'images, de rêves. Le peintre c'est un peu comme un magicien qui, d'un coup de pinceau, fait surgir, libère ces images prisonnières.

Alors toi aussi, deviens chasseur d'images, dompteur de rêves, conteur d'histoires, faiseur de mots, chercheur de hasard, explorateur, aventurier, fée ou magicien au pays immensément grand de ton imaginaire.

S'évader du réel

La vie est comme un grand magasin d'images, de signes, de situations, de souvenirs. Ton imagination est l'outil fabuleux qui te rend capable de métamorphoser, digérer, transformer, déformer la réalité.

La réalité est un tremplin pour permettre à ton imagination de s'élever dans les airs, toujours plus haut, toujours plus loin, à la conquête d'un nouvel univers.
La peinture est un moyen de rendre vivants les fruits de ton imagination ; les éléments du réel sont ta palette, le pinceau ta baguette magique, à toi d'en faire une "œuvre" !

S'échapper du réel peut être un moyen pour créer un nouvel univers, une œuvre musicale, picturale, littéraire...
Mais comment les créateurs font-ils ?

"Ce lièvre, je l'ai vu. C'était à Montroig. Un lièvre courait dans la plaine et le soleil se couchait. J'ai vu le lièvre qui courait à toute vitesse. Il y a une spirale : c'était vers le soleil, vers l'infini. Le soleil, c'est une flamme jaune. Ça, je l'ai vu ; c'est le choc d'une vision des yeux. Ce sont des éclats de soleil. Je suis parti de l'idée du lièvre qui courait à toute vitesse, c'est le mouvement qui m'intéressait, et je l'ai indiqué avec des petits points. Ce n'est pas du tout abstrait !"

Miró est un rêveur éveillé. Ses tableaux échappent à la réalité. Il peint les choses comme il les voit, pas comme elles sont habituellement dans la nature.

Joan Miró,
Paysage (Le lièvre),
1927, huile sur toile,
129,5 x 194,5 cm

"Après un effort pour copier minutieusement un caillou, un brin d'herbe, une main, je sens une ébullition mentale venir. J'ai alors besoin de me laisser aller à l'imaginaire." Odilon Redon

Tout tableau, même s'il reproduit fidèlement la réalité, naît de l'imagination de l'artiste. La peinture, comme la poésie, a le pouvoir d'évoquer, de rendre visible.

"L'image d'une tartine de confiture, dit Magritte, n'est assurément pas une véritable tartine, elle n'est pas quelque chose de mangeable." De même, le tableau que Magritte a peint dans ce tableau, n'est pas un véritable tableau puisqu'on ne peut le suspendre au mur... On ne peut pas davantage se baigner dans la mer... ni fermer les rideaux...

Si la peinture n'est pas la réalité qu'elle représente, ne peut-elle montrer avec la même crédibilité ce qui n'existe pas ? Est-il possible que cohabitent le jour et la nuit, que les nuages se transforment en oiseau, les montagnes en aigle, que les arbres poussent à l'envers ? Magritte, dans sa peinture, entretient avec le réel des rapports très particuliers...

René Magritte, *La condition humaine*, 1935, huile sur toile, 24 x 19 cm

Révélation au cimetière

René Magritte aimait raconter qu'il avait rencontré sa vocation de peintre un jour où, comme il jouait dans un cimetière, un peintre du dimanche avait planté son chevalet.

Convalescence

C'est pour distraire son frère malade que Joseph Cornell commença à réaliser ses premières boîtes, des assemblages, des décors incongrus. Aujourd'hui, Cornell est considéré comme un artiste majeur.

Attention : procédé non autorisé !

Une génération de peintres, les surréalistes, croient que l'on doit s'écarter du réel. Ils ne sont pas opposés à la réalité mais bien à la logique, à la raison comme origine de l'art. Ils exploitent donc le bizarre, l'irrationnel, l'imprévu, le spontané, en ayant recours à des drogues ou des substances hallucinogènes. Ils sont convaincus que l'inconscient est la source fondamentale de l'art et de la vie. Ils cherchent à créer des images inattendues, à susciter des associations imaginaires par le collage, la juxtaposition d'images ou d'objets sans rapports les uns avec les autres.

La grande évasion

S'évader en inversant l'ordre des choses, en bousculant les principes établis et les idées reçues ! Grâce à ce procédé, tout devient possible.

Le géant minuscule

Dans la peinture, l'ordre de grandeur peut être lié à l'effet de perspective (un personnage situé à l'arrière-plan apparaîtra plus petit) ou lié au rang (au Moyen Age, le roi était représenté plus grand que ses sujets). En principe, la souris est plus petite que l'éléphant, l'arbre est plus grand que le champignon... Si tu modifies, si tu inverses ces rapports de grandeur, si tu bouscules la hiérarchie, un monde nouveau apparaît. Le réel peut devenir irréel, insolite, tragique, comique, poétique.

Dans un magazine, découpe des personnages, des animaux, des objets.

Associe deux d'entre eux sans respecter le rapport de grandeur qu'ils ont en réalité, par exemple une pince à linge et un immeuble à la même taille ! Crée une image insolite, poétique, dramatique, un nouveau monde.

Enfant de 11 ans

Le monde à l'envers

Invente un monde "impossible" à partir d'une situation réelle que tu retournes

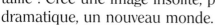

Yann, 11 ans

comme un gant. Les parents qui obéissent aux enfants ? Le soleil qui tourne autour de la terre ?

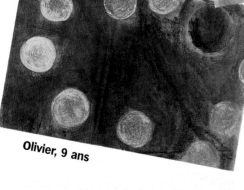

Olivier, 9 ans

Il y a toujours un chat blanc qui vient dormir dans le poulailler et le coq va toujours dormir dans l'arbre.

Stéphanie

Herbert, tu exagères !

Comme ton ombre qui s'allonge démesurément au coucher du soleil, comme ton image qui se reflète déformée à la surface d'une cuiller tombée, comme le nez de Pinocchio qui s'allonge, comme le monstre dont le nombre de bras est démultiplié, le réel peut se tordre soumis aux caprices de la déformation et l'air de rien, devenir complètement imaginaire.

"Imaginons, imaginons que les choses soient différentes, que la fraise ait goût de citron et que la vie soit plus marrante..."
Pierre Gamarra

Caricatur'art

La caricature exagère une caractéristique physique.
Amuse-toi à déformer encore davantage un dessin en le posant sur la vitre de la photocopieuse.
Enclenche la machine et fais bouger ton dessin sur la vitre dans un sens ou dans l'autre.
Répète l'opération jusqu'à ce que tu sois satisfait de l'effet obtenu.

Sorcière, emmène-moi
sur ton balai

Quand on est petit, une barrière ou un manche à balai peut se métamorphoser en cheval, une casserole en tambour. En Afrique, faute de jouets, les enfants transforment les canettes vides en autos ou en motos, les boîtes de pellicules vides en bigoudis.

L'astuce vient au secours du manque de matériel : on le détourne pour parvenir à ses fins, faire des découvertes, ou créer un nouvel objet par exemple.

Détournement d'objets

Que faire d'une vieille paire de chaussures trouées ? Lui donner une seconde vie en la déguisant en hélicoptère, en automobile, en paquebot ou en locomotive !

Leïla, 7 ans

Jérôme, 8 ans

Patrick, 11 ans

La combinaison gagnante

Léonard de Vinci te donne quelques conseils pour "mettre en forme" un dragon.

"Si tu veux donner une apparence naturelle à une bête imaginaire, supposons un dragon, prends la tête du chien, les yeux du chat, les oreilles du hérisson, le museau du lièvre, le sourcil du lion, les tempes d'un vieux coq et le cou de la tortue."

Inexistants au catalogue des espèces reconnues

Dragons, fantômes, monstres, licornes, chimères, trolls, farfadets...
De tout temps, les hommes ont inventé des créatures imaginaires ou fantastiques pour symboliser des choses qu'ils ne comprenaient pas, pour expliquer des phénomènes naturels, pour conjurer leurs peurs.

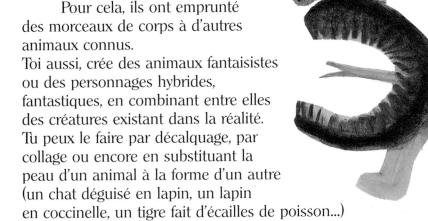

Pour cela, ils ont emprunté des morceaux de corps à d'autres animaux connus.
Toi aussi, crée des animaux fantaisistes ou des personnages hybrides, fantastiques, en combinant entre elles des créatures existant dans la réalité. Tu peux le faire par décalquage, par collage ou encore en substituant la peau d'un animal à la forme d'un autre (un chat déguisé en lapin, un lapin en coccinelle, un tigre fait d'écailles de poisson...)

Ecouter ses rêves

Rêves-tu de devenir peintre ou musicien, de voyager sur Mars ou sur Vénus ? Quel pays imaginaire rêves-tu de visiter ?

Rêves-tu en noir et blanc ou en couleurs ? En classe ou pendant la nuit ? Es-tu toujours dans la lune ou as-tu les pieds sur terre ?

Il y a des rêves qu'on fait éveillé, d'autres pendant notre sommeil. Ils sont des projets fous ou l'expression de nos désirs les plus profonds, les plus farfelus.

Dans nos rêves, tout est possible...

L'imagination de Dali, artiste surréaliste, excentrique et provocateur, n'a pas de limites. Il transforme ses rêves, ses visions, ses hallucinations en peinture. Il veut que le monde imaginatif soit aussi évident que le monde de la réalité. Il veut matérialiser les images nées de l'inconscient en dehors de la raison et les présente avec un réalisme presque photographique. Des "montres molles" apparaissent sur une plage crépusculaire, celle de Cadaqués, le petit port de Catalogne où il a vécu. Dali a comparé ces "montres molles" à un camembert coulant..., pour lui, elles sont "comme des filets de sole, destinées à être avalées par les requins du temps" !

Dali, *La persistance de la mémoire*, 1931, huile sur toile, 24 x 33 cm

Gags à gogo

"La seule différence entre un fou et moi, c'est que je ne suis pas fou." Si Dali n'était pas fou, il était en tout cas excentrique. Un jour, à Londres, l'idée lui vint de donner une conférence dans un scaphandre. Cette idée saugrenue a failli lui coûter la vie : il ne parvenait plus à ouvrir l'engin, le public se tordait de rire et personne ne vint à son secours croyant au meilleur des gags !

Dis-moi ce que tu rêves, je te dirai qui tu es.

De tout temps, les hommes ont cherché à comprendre le sens de leurs rêves. Pour les anciens, le rêve permettait aux divinités de s'adresser aux hommes.

Au début du XXe siècle, un médecin autrichien, Sigmund Freud, pense que ce sont les forces inconscientes qui se déguisent en rêve et que grâce aux rêves on peut apprendre à mieux se connaître. Pour Freud, le rêve est un rébus à déchiffrer en fonction de l'histoire personnelle de chacun. Il va analyser ses propres rêves et publier un livre : *L'interprétation des rêves*.

"**Rêver est un devoir. Il peut neiger sur le noir, sortir des colombes des manches de l'épouvantail.**"

Jean Paul
Sautreau

Ange de mes rêves ou démon de ma nuit ?

Rêve, délire, cauchemar, hallucination..., quel rapport avec la création ?

Savais-tu que c'est grâce à un rêve que Helias Howe a inventé la machine à coudre ?

Dans son rêve, il était entouré de cannibales dont les javelots étaient percés à leur pointe. Cela lui a donné l'idée de percer l'extrémité de l'aiguille piquante qui équipe depuis lors toutes les machines à coudre. C'est aussi grâce au rêve que l'Italien Tastini a composé la sonate "La trille du diable", que le professeur Von Stradouitz a découvert la structure d'un gaz.

Le rêve peut être un processus de création : la solution d'un problème peut survenir d'un rêve, une vision peut être à l'origine d'une création...

Rêver les yeux ouverts

As-tu déjà été surpris à rêvasser les yeux dans le vague, ou à tomber des nues lorsqu'on te demande quelque chose, à être à des années-lumière du cours de mathématiques, à ne pas entendre la question qu'on te pose ?
Ton esprit vagabonde et plein d'images passent dans ta tête. Tu as l'air de ne rien faire mais ton inconscient lui, il travaille.

Rêves d'avenir

Peut-être rêves-tu d'être médecin, comédien, pompier, épicier ou aventurier ?
Réalise ton rêve en te projetant dans l'avenir. Sers-toi de toute la documentation dont tu disposes sur ta passion pour réaliser une mise en scène détaillée de ton futur métier.
Ce sera ton passeport pour le futur !

Plus tard, je serai pâtissier...

Plus tard, je serai comédien...

Bons à rêver

Dans des magazines, découpe des images qui te font rêver.
Colle-les sur des cartons et range-les dans une boîte. Si tu es à court d'inspiration, pioche dans ta boîte une image à rêver.

... et les yeux fermés

Comme tout être normalement constitué, tu rêves toutes les nuits (même si tu ne t'en souviens pas). Au réveil, le souvenir de ces images qui t'ont traversé l'esprit s'estompe rapidement ! Dans un petit carnet que tu tiens à proximité de ton lit, prends l'habitude de noter tes rêves, tes nouvelles idées ou d'en "fixer" le souvenir par un dessin rapide.

« Il suffit de fixer un peu ses yeux pour changer le connu en inconnu, la vie en songe, le moment en éternité. »
Paul Valéry

Raviera, 8 ans, a rêvé qu'elle était perdue au fond d'un bois

Cauchem'art

Exorcise tes démons en imaginant un spectacle monstrueux dans lequel tu mets en scène toutes les créatures dont tu as toujours eu peur de rêver ! Ou encore dessine ce que tu ressens lorsque tu fais un cauchemar.

Artiste, c'est un métier ?

Oui. Alors comment devient-on artiste ? Le plus souvent envers et contre tout. Certains artistes sont allés dans une école, d'autres pas, mais ils ont tous quelque chose en commun : l'art est le sens de leur vie, une nécessité. Au départ, ils ont un énorme désir, qui peut leur avoir été communiqué par un parent, un ami, un autre artiste, un professeur... ou par la rencontre d'une œuvre... Tout leur travail est un long et parfois difficile chemin pour satisfaire ce désir, ce besoin, malgré les critiques, les interdictions, le manque de moyens, le scepticisme ou l'indifférence. Dur, dur, d'être un artiste !

S'emparer des mots

Petit mot, gros mot, bon mot, mot doux,
mot d'enfant,
mot d'humour,
mot d'amour,
mot de tous les jours,
mots-valises, motus, mots croisés, mots d'esprit, mots de tête.
Sésame, formule magique, parole en l'air,
mots clés qui ouvrent les portes de l'imaginaire...

Les mots que nous utilisons évoquent des images ; nous exprimons ce que nous ressentons face à une image avec des mots... Pas de doute, les images et les mots ont quelque chose à se dire !

A la carte
Alechinsky était étudiant à la Cambre à Bruxelles lorsqu'il rencontra René Magritte. Il lui demanda ce qui l'intéressait en peinture. Magritte répondit :
– Le bifteck, mon ami.

Magritte s'intéresse à l'écart qui existe entre la chose, sa représentation et sa désignation. Puisque ce que je vois n'est pas ce que je vois, puisque la représentation d'un objet n'est pas cet objet, comment le nommer, par quel mot le désigner ? La représentation comme le langage sont des codes, des conventions qu'il n'est pas interdit de bousculer et Magritte, comme d'autres artistes surréalistes, prend plaisir à bouleverser les habitudes. En manifestant que le tableau est un monde en soi, régi par ses propres règles, Magritte propose d'autres manières de voir.

René Magritte, *La clef des songes*, 1930, huile sur toile, 81 x 60 cm

Barnett Newman,
Qui a peur du rouge, du jaune et du bleu ?

Cent titres

Donner un titre, c'est nommer une œuvre.

Il y a des titres éclatants, provocants, qui cherchent à se faire remarquer ("Qui a peur du rouge, du jaune et du bleu ?" de Barnett Newman).

Il y en a d'autres carrément neutres qui cherchent à se faire oublier (composition n889, improvisation n88...).

Chez certains peintres, ils sont utiles à la compréhension du travail et nous aident à y voir plus clair. Chez d'autres, ils sont énigmatiques, ils peuvent être écrits au dos ou dissimulés dans le tableau (c'est le cas chez Miró).

Un titre peut "éclairer" une composition abstraite mais il peut aussi quelquefois "refuser" de le faire ! Certains artistes ne veulent pas donner un titre à leurs tableaux. "Sans titre" est parfois le titre choisi par l'artiste, parfois donné par le directeur du musée.

Ce n'est pas le cas chez les surréalistes, pour qui le titre a beaucoup d'importance, mais il ne fournit pas d'indication directe. Magritte avait l'habitude de réunir ses amis et de choisir, selon leurs conseils, les titres les plus éloignés d'une explication possible de ses tableaux.

La peinture dans les mots

- ne pas pouvoir voir quelqu'un en peinture : le détester
- ne pas pouvoir encadrer quelqu'un : ne pas le supporter
- s'emmêler les pinceaux : tout mélanger, s'embrouiller dans des mensonges
- se dessiner à l'horizon : apparaître
- une ombre au tableau : un problème
- en voir de toutes les couleurs : subir de nombreuses contrariétés
- en tenir une couche : être dans un état d'abrutissement grave
- jouer sur tous les tableaux : profiter de toutes les opportunités
- faire de l'art pour l'art : poursuivre obstinément un objectif futile, qui ne se justifie que par lui-même
- c'est ici que les chats se peignent : c'est ici que les difficultés commencent

Les logogrammes de Christian Dotremont sont des écritures-peintures. Avec une spontanéité propre à Cobra (page 277) dont il fut le fondateur, il trace à l'encre des textes poétiques en se réappropriant l'alphabet et la calligraphie. Il écrit les mots comme ils sonnent, comme ils chantent, comme cela lui chante... Les mots jouent avec leur représentation graphique. Ils ressemblent à ce qu'ils évoquent (par exemple : "boule" à la 2e ligne, "astre" à la 4e ligne...). Passionné par la Finlande et la Laponie, il y est retourné régulièrement. Dans la neige, il y a d'ailleurs tracé des logoglaces et des logoneiges.

Le jargon des peintres

- tripoter la couleur : peindre
- une croûte : un mauvais tableau
- un peintre du dimanche : un peintre amateur
- avoir un bon coup de crayon, avoir une bonne patte : savoir dessiner

Dotremont, *Dans la Finlège hivernale*, Logogramme, 1975, encre et crayon sur papier, 76,10 x 55 cm

Les mots sur ta palette

A l'origine, les lettres étaient des dessins. Ecrire aujourd'hui comme avant, comme ici et ailleurs, c'est un peu comme dessiner : chaque lettre est un jeu de lignes. On a tellement l'habitude d'écrire que ces tracés nous sont devenus familiers. Si tu observes les calligraphies chinoises ou l'écriture arabe, tu y découvriras mille et une formes insolites.

Fais danser les mots sur ton papier.

Mots peints

Utilise les lettres comme composants de ton image.

Ecris plusieurs fois ton prénom sur une grande feuille de papier jusqu'à en recouvrir tout l'espace. Les lettres en se chevauchant, en se reliant créent des formes. Peins-les ensuite comme des formes abstraites, de façon à ce qu'on puisse à peine distinguer le prénom écrit à l'origine.

Marguerite, 9 ans

Une lettre illisible

Imagine-toi très en colère ou très amoureux.
Exagère, déforme ton écriture habituelle pour rédiger une lettre dont les mots sont illisibles mais dont on peut deviner qu'il s'agit d'une lettre d'amour... ou d'insultes !

Caviardage

Pourquoi ne pas recycler un livre d'histoires sans images, que plus personne ne lit. Transforme-le en livre d'images en peignant sur le texte.

Chinoiseries

Procure-toi un journal arabe, japonais ou chinois. Choisis un cadrage dont les formes constituées par les mots te plaisent. Agrandis-le fortement à la photocopieuse. Peins-le.

"Et moi aussi, je suis peintre." Apollinaire

Dans ses poèmes intitulés "Calligrammes", Apollinaire dispose les lettres et les mots des poèmes sur la page de façon à former un dessin.

Calligramme

Trace légèrement un dessin d'objet sur ton papier. Repasse sur son contour en écrivant et répétant son nom à la plume. Sur la base de cette idée, invente toutes les variations possibles : comment faire un paysage, un visage, une scène de plage... à base de mots.

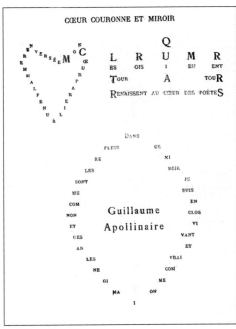

Guillaume Apollinaire, *Cœur, couronne et miroir*, Calligrammes, 1918

La langue française en fête
du 13 au 20 mars 1995

Affiche sous forme de rébus de La langue française en fête, manifestation organisée par la Communauté française de Belgique.

Solution du rébus :

DU - 13 - EAU - VIN - MARS - C' - HAIE - LA - FÉE - T' - ŒUFS

Les mots dans ta tête

Donner sa langue au chat, tomber de la lune, prendre la poudre d'escampette, avoir l'estomac dans les talons, peindre comme une mouche... toutes ces expressions titillent notre imagination. Réponds aux mots en créant des images.

Au pied de la lettre

Vendre la peau de l'ours avant de l'avoir tué, ne pas être dans son assiette, avoir les yeux plus grands que le ventre, être assis entre deux chaises, donner sa langue au chat, avoir un chat dans la gorge...

Rouler à tombeau ouvert

Ces expressions suggèrent de drôles d'images si on les prend "au pied de la lettre". Et si tu les dessinais ?

Avoir une chouette amie

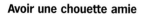

J'adore les animaux

A contre-pied

Quelquefois les images se moquent du texte. En le détournant, le contredisant. Cela suscite le mystère, l'énigme ou le rire. Illustre des phrases simples en dessinant le contraire de ce qu'elles disent.

Comme tous les matins, Héloïse était d'excellente humeur.

La gueule de l'emploi

A partir des expressions imagées, invente de nouveaux métiers : poseur de lapin, sucreur de fraises, chausseur de pieds dans le plat. Rédige une offre d'emploi que tu illustres par un dessin ou imagine un catalogue de nouveaux métiers. Tu luttes ainsi contre le chômage.

Complimenteur!

Oréopithèque, animal pacifique que l'on a souvent confondu avec les sirènes. Chante admirablement.

Le jeu du dictionnaire

Cherche dans le dictionnaire des substantifs (noms de personnes, choses, animaux) dont tu ne connais pas la définition mais dont la sonorité te plaît. Imagine à quoi ressemblerait un oréopithèque, un lithopédion, une misaine, un vavasseur... Dessine-les et invente leur définition.

La langue française en fête, manifestation organisée par la Communauté française de Belgique.
La ville de Mons fait la fête aux Mots, 1996.

Profiter du hasard

Empreinte, tache, éclaboussure, coulure, rature, salissure, soufflure, traînée, gribouillis : tous les "accidents" peuvent être sujets et prétextes de peinture.

D'ailleurs, Dubuffet recommandait chaudement aux peintres de prendre leur inspiration dans leurs palettes et leurs chiffons, là où se concentrent et s'accumulent taches et salissures...

Le hasard ça peut être mille petites choses, une rencontre, une coïncidence, une trace dans la nature, une maladresse, un oubli, un regard...

Ce n'est jamais "n'importe quoi" mais toujours une occasion à saisir !

A toi de capter le hasard, de le saisir, de l'explorer, de le provoquer.

L'artiste américain Cy Twombly vit et travaille à Rome. Sur les fonds blancs ou gris de ses toiles, il peint et écrit avec des craies de couleur et des crayons noirs. Il trace des traits, des lignes ; éventuellement il ajoute des chiffres et des mots. Son dessin, comme une écriture, est libre et vif. Ses toiles sont des "graffitis-émotions".

Cy Twombly, *Etude pour le rideau de scène de l'Opéra Bastille*, 1988, pastel et crayon, encre de Chine sur papier, 23 x 32 cm

Peintre malgré lui

Roland Dorgelès racontait qu'il était l'instigateur de l'histoire de Boronali, le premier peintre abstrait, un âne dont on avait estropié le nom. On avait attaché un pinceau à sa queue. En l'agitant au hasard au-dessus d'une toile vierge, l'âne Lolo s'était mis à peindre "un coucher de soleil sur l'Adriatique". Le tableau fut exposé en 1914 au salon des Indépendants.

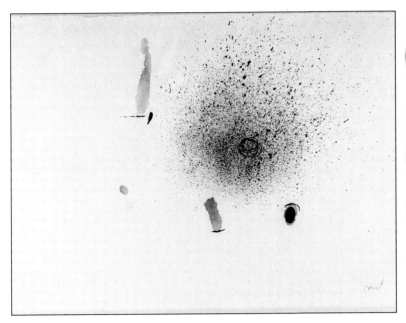

Miró aime partir du hasard. Le nettoyage de ses brosses sur la toile donne un point de départ à la peinture. Il ramasse tous les vieux cuivres qu'il trouve dans l'atelier et tire des gravures de ces plaques égratignées, "accidentées". Avec les couleurs ou avec l'encre de Chine, il procède par giclures, provoque des taches, laisse l'empreinte de sa main ou de son pied nu, trace quelques traits... Puis il retravaille ces accidents, s'efforçant d'en conserver la violence et l'authenticité. "Il ne faut surtout pas écraser cette fraîcheur du trait qui respire, c'est comme le battement du cœur..."

Joan Miró, *Sans titre*, encre de Chine sur papier, 45 x 61 cm

L'énigme du tableau

Sous son bras, Wassily Kandinsky serre un carton à dessin et se dirige vers son atelier. Il a travaillé à l'extérieur et rentre avec ses croquis sous le bras. Kandinsky a l'ambition de peindre comme les musiciens composent, avec des gammes, des notes graves et aiguës, des harmoniques, des contrepoints, des fugues... Il ne sait pas très bien où cette recherche va le mener. Pour le moment, il réfléchit, il discute avec ses amis.

Il rentre dans son atelier et là, il s'arrête, saisi, bouleversé, "à la vue d'un tableau indescriptiblement beau qui irradiait d'une lumière intense. Tableau où on ne voyait que des formes et des couleurs." Kandinsky s'interroge : quelqu'un aurait-il déposé ce tableau dans son atelier pendant son absence ?

Mais non ! Ce tableau est l'un de ses propres tableaux posé là, à l'envers !

La découverte de ce tableau renversé par hasard conduit Kandinsky à peindre sa première aquarelle abstraite (page 85).

Téléphone-graffiti

En 1963, au cours d'une conversation téléphonique, Jean Dubuffet laisse courir la pointe de son bic sur un morceau de papier. Sans y penser, il réalise des petits dessins semi-automatiques. Puis il découpe les formes obtenues, les dispose sur un papier noir et s'aperçoit qu'elles se mettent à jouer ensemble : l'Hourloupe est née.

Le hasard va devenir le processus créateur de son œuvre.

Peintres en panne

Lorsque les élèves de Léonard de Vinci manquaient d'inspiration, il leur proposait de prendre une éponge imbibée d'encre et de la jeter contre le support, ensuite il les invitait à lire les éclaboussures et à y voir des scènes de bataille.

"Si vous prenez garde aux salissures de quelques vieux murs ou aux bigarrures de certains murs jaspés, il s'y pourra rencontrer des représentations de divers paysages, des confusions de batailles, des airs de tête ou des figures étranges, des habillements capricieux et une infinité d'autres choses parce que l'esprit s'excite parmi cette confusion et qu'il y découvre plusieurs inventions." Jean Dubuffet

Comment rencontrer le hasard ?

... En étant vigilant, yeux et oreilles curieux, gourmand, à l'affût de la moindre opportunité qui peut se présenter à toi, que ce soit en ville ou à la campagne, à l'école ou à la maison ! La forme d'un nuage ou d'un jeu d'ombres sur la mer peut tout à coup te donner l'idée de créer un personnage fantastique, la tenue d'une vieille dame croisée au supermarché être à l'origine d'un roman policier, un dialogue entendu le synopsis d'une bande dessinée...

Ne néglige aucune récolte ou manipulation fortuite que tu as pu faire : une éclaboussure, un mélange de couleurs inattendu, une maladresse peuvent être réintégrés au sein d'un autre travail, d'une autre occasion.

ou, à défaut, le susciter, le provoquer ?

En peinture, tu peux provoquer le hasard en perdant volontairement le contrôle de tes gestes. Dessiner en te bandant les yeux, en marchant, en courant, avec un gant de boxe, en te mettant dans une position inconfortable... bref en t'inventant d'autres habitudes de travail, le hasard peut devenir un processus de création.

Par où on commence ?

Sais-tu que Miró commençait rarement un travail sur une toile vierge ? Il s'arrangeait toujours pour que la toile soit déjà un peu travaillée, porteuse d'accidents, d'une autre histoire. Cela le rassurait. C'est difficile, angoissant de s'attaquer à une page blanche. Comme lui, tu peux choisir un support qui contient déjà des matières parce que le hasard favorise les pistes inattendues, comble le vide. Tu peux aussi t'inventer des jeux, des contraintes qui t'aident à démarrer. Commencer un personnage par les pieds, un animal par la queue, une composition par le milieu...

Dix points

Sans regarder, pose au hasard dix points ou jette dix allumettes sur une feuille de papier. Relie-les entre eux pour faire naître une figure. Complète-la et peins-la.

Enfant de 8 ans

Dessin automatique

Parfois, tu as envie de dessiner mais "tu ne sais pas quoi faire".
Pourquoi ne recourrais-tu pas, comme d'autres peintres l'ont
fait avant toi, au "dessin automatique" ?
Dispose devant toi toute une série de traceurs (plumes, bics,
crayons, stylo...).
Règle une minuterie sur 10 minutes et détourne tes yeux de ta
feuille.
En ne pensant à rien, commence alors à griffonner au hasard sur ton papier. Lorsque le
temps est écoulé, regarde ton dessin.

Taches à dessein

Recherche différentes
manières de produire des
taches :
  - jette la peinture sur
  une feuille posée sur
  le sol ;
    - dépose de la peinture sur une feuille
    de papier et souffle dessus
  avec une paille ;
    - perce le fond d'une boîte de conserve que tu remplis de
peinture et laisse-la s'écouler sur une feuille posée sur le sol
en décrivant des lignes, des courbes ;
- pose de la peinture sur une feuille que tu plies ensuite en
deux...
Laisse aller ton imagination... et considère ces taches
indépendamment d'une signification figurative, comme un
dessin abstrait ou alors, trouve-leur des ressemblances avec des
sujets ou des situations et complète ton dessin avec de l'encre de Chine.

Cadavre exquis

Ce jeu inventé par les surréalistes consiste à faire composer une
phrase ou un dessin par plusieurs personnes sans tenir compte de ce
que l'autre fait. Le résultat est involontaire et souvent cocasse.
Prends une feuille de papier sur laquelle tu commences un dessin.
Dissimule ce que tu as fait en pliant la feuille de papier et en ne
laissant dépasser que quelques traits de crayon qui permettent à ton
voisin de poursuivre le dessin. Et ainsi de suite. Le jeu peut se faire à
deux ou plus.
Le nom de ce jeu provient de la première phrase obtenue par les surréalistes de cette
façon : "La cadavre-exquis-boira-du-vin-nouveau".

"Si tu sais ce que tu vas faire, à quoi bon le faire ?" Pablo Picasso

Raconter des histoires

Est-ce que toutes les peintures ne racontent pas, d'une façon ou d'une autre, une histoire ?
Tantôt le peintre est le narrateur, tantôt il invite le spectateur à l'être...
Toute peinture nous renvoie à une histoire : la nôtre, celle du peintre, une émotion, une interrogation, un événement...

Aujourd'hui la peinture n'a plus la même fonction d'image narrative et didactique qu'autrefois : on n'apprend plus la Bible en regardant les images saintes qui décorent l'église du village, on ne garde plus la mémoire des événements qui bouleversent notre époque par les peintures des musées !
Radio, télévision, cinéma, réseau internet nous connectent beaucoup plus rapidement sur la réalité de notre époque ; livres, films, magazines, CD-Rom, nous informent.

Pourtant, certains peintres, aujourd'hui encore, nous racontent des histoires en nous invitant à réfléchir aux grandes questions de notre temps et même du passé.

D'autres artistes, illustrateurs (de livres pour enfants, de bandes dessinées, humoristes...), ont fait de la narration leur métier. Tantôt ils écrivent leurs propres histoires, tantôt ils mettent en images des récits écrits par leurs complices, les "auteurs".

Sur ce long dépliant vertical de plus de deux mètres de long se déroulent la peinture de Sonia Delaunay et le poème de Blaise Cendrars, écrit avec plus de dix caractères différents dans un rythme syncopé. Texte et image se lisent et se regardent globalement, simultanément.

Sonia Delaunay, *La Prose du Transsibérien et la petite Jehanne de France*, 1913, huile sur toile, 193 x 18 cm

Les aventures archéologiques que racontent Anne et Patrick Poirier sont des fictions. A deux, ils sont allés à la recherche d'un site dans la région de la Moselle en s'imaginant être accompagnés d'un archéologue. Ils ont écrit ce journal où l'archéologue imaginaire collecte des témoignages du passé et complète ses informations de considérations passionnées à propos de la mémoire. Cette série porte le nom de "Mnémosyne" qui est la personnification de la mémoire et la mère des Muses ; elle prend l'allure d'un herbier où les feuilles rappellent les moitiés du cerveau humain.

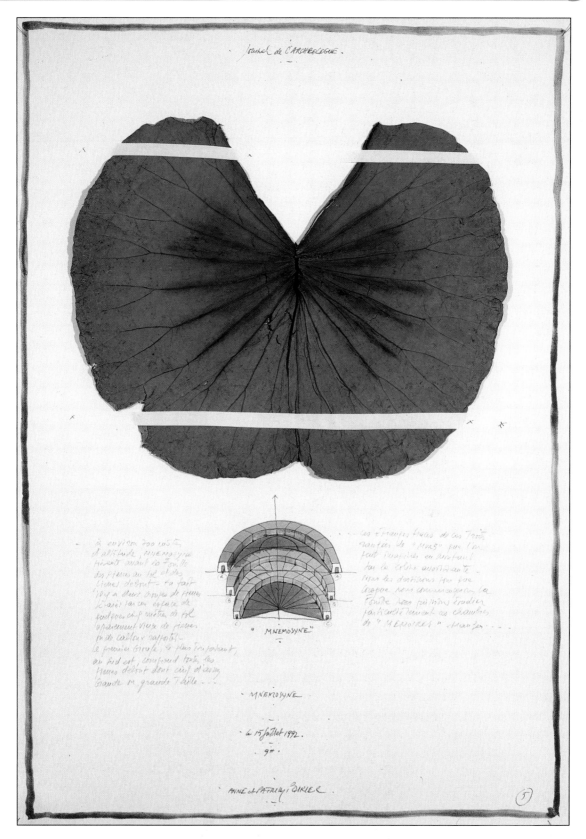

Anne et Patrick Poirier, *Le journal de l'archéologue*, 1992, dessin et techniques mixtes, 122 x 81,5 cm

Comment naissent les histoires ?

Les narrateurs ont leurs "trucs et astuces" pour démarrer une histoire, n'hésite pas à t'en servir toi aussi...

Maboul
Macfarlane
Macaroni
Macareux
Macaque

d'un mot

Un mot quelconque peut fonctionner comme une parole magique qui ouvre les portes de ton imaginaire. Choisis un mot au hasard dans le dictionnaire. Etablis une liste de mots qui vont avec lui (même musique, même rythme) : persil, persienne, personnage, perce-neige... Tire au sort trois d'entre eux : voilà le début de ton histoire.

d'une situation

Qualifie un pays et imagine ses habitants, son organisation, sa campagne, ses villes, sa gastronomie...
Au pays des "minis", on porte des minijupes, on fait souvent des minitrips, les ministres sont minuscules et en font un minimum...
Dans le pays déboussolé, il y a du désordre, des désastres, les gens sont désemparés...
Au pays des opposés, il y a des gros et des minces, des grands et des petits...
Peins une scène de vie quotidienne dans un de ces pays imaginaires.

Le pays des opposés

d'une hypothèse

Voici une liste de formules magiques pour libérer ton imagination :
On disait que...
Qu'arriverait-il si...
Et après ? Et avant ?
Il était une fois...

d'un mélange

Choisis trois histoires et mélange les personnages, les situations, les actions et les fins pour inventer une nouvelle histoire. Par exemple le petit chaperon rouge avait le nez qui s'allongeait, Barbe-Bleue était perdu dans la forêt, etc.

Ou encore, réalise une "salade d'histoires" qui te sont réellement arrivées mais en intervertissant les lieux, en changeant le nom des personnages, en regroupant différentes anecdotes qui au départ n'ont rien à voir entre elles.

d'une inversion

Mets une histoire que tu connais la tête en bas : une histoire sage se transformera en récit à dormir debout et une anecdote véridique en histoire où tout est sens dessus dessous !

Comment naissent les images ?

Les illustrateurs aussi ont leurs recettes secrètes pour mettre un récit en images. Bien vite tu auras toi aussi tes potions magiques pour faire naître les images !

d'une histoire

Choisis une histoire que tu connais. Interprète-la avec des signes (page 134).
Traduis chaque moment significatif de l'histoire par un signe, une forme que tu inventes et qui correspond à l'intensité dramatique de la séquence que tu as choisie.
Articule ces formes et ces couleurs de manière à ce qu'à travers elles, l'histoire soit "lisible".

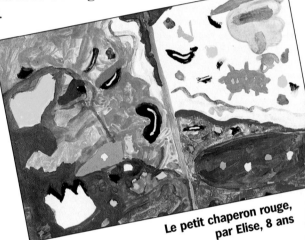

Le petit chaperon rouge, par Elise, 8 ans

d'un fait divers

Collectionne les faits divers amusants que tu lis dans le journal ou que tu entends à la radio. Illustre-les.
Pour donner l'illusion d'une photo parue dans le journal, utilise le fusain et la gomme.

d'un document

Choisis une photo de presse ou la reproduction d'un tableau. Imagine la scène qui va suivre ou qui précède l'image.

Les images naissent aussi d'une situation vécue.

Fabrique un rouleau de conteur

Matériel : une caisse en carton • deux rouleaux fax ou bâtons ronds en bois • deux rouleaux de papier de toilette • une bande de papier peint.

Réalisation : Pour fabriquer un rouleau de conte :

1. Coupe une bande de papier peint aussi longue que tu veux. Fixe un bâton (ou rouleau fax) à chaque extrémité. Décide dès maintenant si les images se dérouleront verticalement ou horizontalement. Divise ta bande de papier en séquences. Réalise les illustrations qui correspondent à chacune de ces séquences.

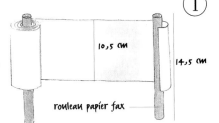

①
10,5 cm
14,5 cm
rouleau papier fax

2. Fabrique une sorte de télévision à l'aide de la boîte en carton et des rouleaux de papier de toilette.

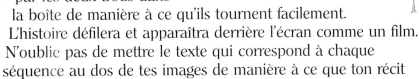

②
entailler
11,5 cm
rouleau papier de toilette

3. Introduis les bâtons par les deux trous dans la boîte de manière à ce qu'ils tournent facilement. L'histoire défilera et apparaîtra derrière l'écran comme un film. N'oublie pas de mettre le texte qui correspond à chaque séquence au dos de tes images de manière à ce que ton récit corresponde bien aux images que tes spectateurs auront sous les yeux ! Et pourquoi ne pas compléter ton histoire avec une bande-son musicale ?

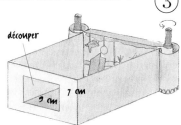

③
découper
7 cm
9 cm

Mais c'est jamais fini !

T'est-il déjà arrivé de composer un bouquet de fleurs ? Tu répartis les couleurs et les formes. Tu arranges les fleurs pour qu'elles trouvent leur place, tu sens bien quand l'une a trouvé la sienne ou qu'il faudrait rajouter un peu de verdure.

C'est parfois un détail qui fait que l'arrangement te plaît, que tu as l'impression qu'il ne faut plus rien toucher, que "ça va comme ça". C'est un peu la même chose en peinture. Le peintre sent bien quand il manque un p'tit quelque chose ou quand sa toile a atteint son point d'achèvement, qu'en rajouter serait la surcharger. Mais quelquefois, on ne sait pas s'arrêter !

Comment fabriquer sa B.D. ?

Si tu dévores les albums de tes héros préférés en moins de deux, saches que les étapes de création d'une bande dessinée sont nombreuses et demandent beaucoup de temps. Intéressés par la création d'une "B.D. maison", suivez le guide !

1. L'idée : eh oui, comme pour toute histoire, il faut aller à la chasse aux idées. Pour cela, inutile de revêtir ton plus beau costume de chasseur et de partir en expédition dans les bois. Le gibier n'est pas loin ! Tu peux puiser

dans la vie quotidienne, les rencontres, les voyages et les lectures, voire même dans tes visites aux musées.
Une fois l'histoire inventée, il faut en faire un bref résumé qui tient en quelques lignes. C'est ce qu'on appelle, dans le jargon des scénaristes, un synopsis.

2. Le découpage : moment crucial où tu découpes l'histoire prévue en "planches", une page de B.D. Ensuite, chaque planche est découpée en "cases" dans lesquelles tu indiques soit par une esquisse crayonnée (ce n'est pas encore un dessin élaboré) soit en décrivant par écrit comment tu imagines le dessin : l'emplacement, l'attitude des personnages, les éléments importants du décor, les angles et les plans d'approche des personnages.
N'oublie pas qu'une B.D. attrayante ménage judicieusement des moments de suspens, d'action, de mystère, de rire...

3. La documentation : tu as décidé de faire faire le tour du monde à ton personnage, mais tu es rarement sorti de ta ville natale. Qu'à cela ne tienne ! Cartes postales, photos, reportages télévisés seront d'un heureux secours pour t'aider à dessiner ces décors.

"La seule chose que je regrette dans ma vie, c'est de n'avoir pas fait de bande dessinée." Pablo Picasso

4. Les crayonnés et les croquis

: tes personnages ainsi que les décors dans lesquels ils évoluent, vont enfin prendre forme. Etablis une esquisse précise des images. A ce stade, le seul matériel nécessaire : crayon, gomme et feuilles de dessin.

5. Le passage à l'encre

: satisfait(e) des esquisses, ne perds pas une minute pour repasser sur les traits de crayon avec de l'encre de Chine (au pinceau, à la plume ou au stylo). Une bonne dose de talent en calligraphie est exigée pour écrire les textes des bulles ou phylactères !

6. La mise en couleurs

: tu trouves tes personnages plutôt pâlots. Rien de tel que gouaches, aquarelles, encres (de couleur)... pour les remettre d'aplomb et leur faire voir la vie en couleurs.

Voilà ton chef-d'œuvre terminé ! Oh, pas tout à fait ! Il serait dommage de ne pas en faire profiter tes copains. Sers-toi d'une photocopieuse couleur pour reproduire ta B.D. autant de fois que tu le désires.

Plans et cadrages

Comme dans un tableau, le choix des plans et des cadrages est très important dans une B.D. Tes personnages peuvent être dessinés sous des angles très divers (pages 158-159).

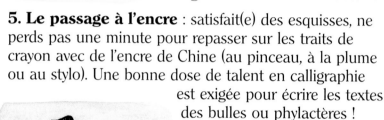

Onomatopées et interjections

Les B.D. font du bruit ! Une voiture qui démarre, un chien qui aboie, une cloche qui sonne... Voilà le décor sonore des B.D. ! Les dessinateurs essayent d'intégrer ces bruitages dans leurs dessins de la manière la plus efficace possible.
Les interjections font aussi partie du vocabulaire de la bande-son des B.D. Il s'agit des cris exprimant des sensations, des sentiments...

Petit répertoire des onomatopées et interjections

Atchoum	Drelin-drelin	Pif	Ah !
Bang	Dring	Ploc	Aïe !
Bla-bla-bla	Fla-fla-fla	Pouf	Bah !
Boum	Frou-frou	Poum	Berk !
Bredi-breda	Glou-glou	Prout	Bof !
Brrr	Gnan-gnan	Pst, psstt ou pstt	Chic !
Cahin-caha	Gong	Rataplan	Chiche !
Chichi	Guili-guili	Ronron	Fi !
Chut !	Guilleri	Tac	Flûte !
Clic-clac	Han	Tam-tam	Hé !
Cocorico	Hi-han	Taratata	Hein !
Coucou	Miam-miam	Teufteuf	Hélas !
Couic	Miaou	Tic-Tac	Hep !
Crac	Mimi	Toc-toc	Hourra !
Cric	Ouah	Vlan	Na !
Cricri	Paf	Wouf	Oh !
Crin-crin	Pan	Waouw	Ouf !
Croc	Patapouf	Zest	Ouille !
Cui-cui	Patati-patata	Zip	Ouste !
Ding-ding-dong	Patatras		Peuh !
Pouah	Zut		

Un livre pour tes histoires

Tu peux bien sûr te contenter de lire une histoire et si tu es un bon conteur, la seule intonation de ta voix suggérera à ceux qui t'écoutent une foule d'images, mais peut-être qu'une autre aventure te tente : faire un véritable livre relié et vraiment solide.

Réalisation :

Matériel :

- carton fort
- tissu épais
- papier
- papier kraft
- colle

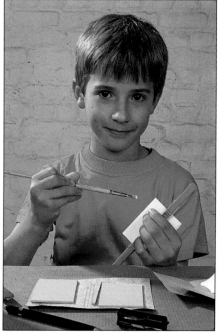

①

1. Découpe deux morceaux de carton pour la couverture ainsi qu'une fine bande de carton pour le dos. Rassemble une trentaine de feuilles de papier pour confectionner les pages. Fixe-les avec des pinces à linge pour pouvoir les encoller. Cette dernière opération consiste à étaler de la colle avec un pinceau sur la tranche.

2. Pose un morceau de papier sur la partie qui contient de la colle.

②

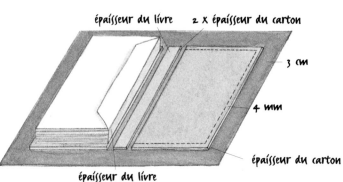

épaisseur du livre   2 x épaisseur du carton

3 cm

4 mm

épaisseur du carton

épaisseur du livre

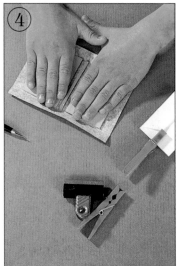

3. et **4**. Sur un morceau de tissu épais (ou une bande de toile), colle les deux morceaux de carton ainsi que la fine bande pour le dos.

5. et **6**. Replie les bords de tissu qui dépassent, en haut et en bas. Colle le cahier de feuilles sur la tranche du milieu.

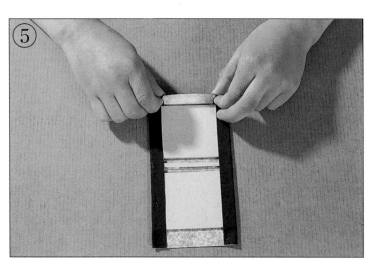

7. Découpe deux feuilles de papier kraft légèrement plus petites que la couverture et colle-les à l'intérieur pour que le tout soit bien fixé ensemble.

Organiser une exposition

Un livre est fait pour être lu,
un morceau de musique pour être entendu,
une peinture... pour être vue.

En exposant leurs œuvres, les peintres se confrontent au public, font état de leurs recherches, s'exposent à la critique. Les uns font parler d'eux, d'autres sont plus taiseux, certains très silencieux. Peintres ermites, ou peintres mondains, adulés de leur vivant, incompris ou carrément maudits, nul ne sait ce que l'histoire retiendra d'eux.

J'expose...
oui mais quoi ?

Tu peux exposer un ou plusieurs de tes artistes préférés, présenter un thème, une collection, une sélection des meilleures natures mortes peintes par ton grand-père, la reconstitution de l'atelier de ton peintre préféré...

Tu peux aussi exposer tes propres réalisations : s'agira-t-il d'une série d'autoportraits peints tous les mois entre 1997 et l'an 2000, d'une rétrospective de tes dernières années de dessins ou de tes 20 aquarelles préférées ? Si tu t'intéresses aux années 70, te passionnes pour la photo, si tu es fou de pastel, voilà autant de bons prétextes pour organiser une exposition et faire ainsi partager ta passion.

Expo noir sur blanc

En 1915, à Saint-Pétersbourg a lieu l'exposition "0,10". Malevitch y présente ses premiers tableaux abstraits parmi lesquels une œuvre plus radicale que d'autres : le Carré noir sur fond blanc qu'il expose ou accroche dans l'angle à la manière des icônes dans les maisons orthodoxes russes. Cette toile surprenante marque une étape importante de sa recherche sur "le monde sans objet".

Interdit d'expo

A New York, lors de la première exposition de la Société des artistes indépendants en 1917, Marcel Duchamp envoie anonymement un urinoir signé R. Mutt et baptisé "Fontaine". L'œuvre ne fut pas exposée... Duchamp nomme ready-mades ces objets tout faits choisis par l'artiste et signés par lui : roue de bicyclette fixée à un tabouret, pelle à neige, sèche-bouteilles... Pour lui, signer un objet revient à dire "Ceci est de l'art". Mais pour que cet objet soit vraiment de l'art, il faut encore un public pour le regarder et donc un lieu pour l'exposer.

"Le ready-made, c'est une sorte de rendez-vous."

Jonathan Borofsky, *Man walking on the sky (Homme marchant dans le ciel)*, sculpture, 1955

En 1955 a lieu en Allemagne la première Dokumenta. La Dokumenta est une exposition d'art moderne dont le but est de présenter au public l'évolution de l'art. Depuis cette date, elle se déroule tous les 4 ans au même endroit dans la ville de Cassel.

Le vide et le plein

Yves Klein, en 1958, remporte un franc succès avec son "exposition du vide". Dans une galerie parisienne, totalement vide, aucun tableau n'est accroché. Les murs sont repeints en blanc et les vitres en IKB. Deux mille personnes se présentent au vernissage des murs nus de la galerie ; les verres eux aussi sont vides. Pour la première fois dans l'histoire de l'art un artiste n'exposait que du vide.
Deux ans plus tard, Arman, le spécialiste des accumulations, répond par l'exposition du "plein" dans la même galerie. Il l'a remplie entièrement d'ustensiles de toutes sortes au point qu'il est impossible d'y pénétrer.

Expo insolite

En 1955 a lieu aux Pays-Bas une exposition d'excréments d'animaux. La principale attraction de cette exposition appelée "Caca" était un événement interactif sous forme de boîte contenant des excréments d'animaux qu'on pouvait sentir mais pas voir. Après avoir deviné de quel animal ils provenaient, le visiteur pressait un bouton pour vérifier sa réponse.

J'expose... oui mais où ?

Il ne serait pas très futé d'exposer des travaux délicats en plein air, des peintures monumentales dans un couloir étroit ou des formats timbre-poste dans un hall de gare ! La nature, le thème, le format d'un travail, comme le lieu d'exposition imposent leurs contraintes à l'artiste.

Il arrive fréquemment que l'on confie un lieu à un artiste. Celui-ci se l'approprie alors le temps d'une exposition. Cela s'appelle un travail "in situ". Voici quelques suggestions pour organiser une expo en dehors des lieux consacrés (centres culturels, musées, galeries).

En plein air : Expo trottoir

La rue est un lieu de passage permanent. Elle peut se métamorphoser pour un jour en un lieu d'exposition, dont les passants deviennent alors les spectateurs improvisés.

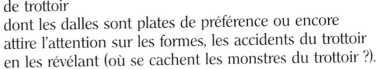

A l'aide de craies de couleur, réalise des dessins sur une portion de trottoir dont les dalles sont plates de préférence ou encore attire l'attention sur les formes, les accidents du trottoir en les révélant (où se cachent les monstres du trottoir ?).

Les stars plastiques

Organise un défilé de stars plastiques en réalisant des déguisements faits exclusivement de sacs, pochettes en plastique de couleur et de récupération. Le tout sur un thème choisi : les légumes, les couleurs, etc.

N'oublie pas de demander l'autorisation des autorités (parentales, municipales) pour organiser ces manifestations.

Gonflés les peintres !

En 1987, cent artistes de vingt pays différents ont pris part à une exposition pour le moins insolite. Ils ont été invités à concevoir des œuvres d'art qui ont été transformées en cerfs-volants par des constructeurs japonais. Cette collection de tableaux volants eut droit à un "vernissage" céleste devant le décor historique d'un château de samouraïs au Japon.

Réveille les coins endormis de ta maison pour une exposition temporaire.

Une expo dans la salle de bains

Sur le thème de l'eau

Une expo dans le garage

Sur le thème de l'auto

Une expo sur la table de salon

Pose tes dessins sur la table et recouvre-les par un morceau de verre que tu as fait découper aux dimensions de la tablette.

Pompiers en alerte

En art, le terme "pompier" vient de ce que les expositions officielles étaient surveillées par des pompiers. Le terme "salon" vient pour sa part du salon carré du Louvre dans lequel les peintres qui sévissaient à la cour de Louis XIV étaient tenus d'exposer.

Une expo dans l'escalier

En famille, réalisez chacun un autoportrait que vous affichez du plus petit au plus grand sur le mur de la cage d'escalier.

J'expose... pour qui ?

Quand on organise une expo, il s'agit de baliser le terrain pour les visiteurs, de faire en sorte qu'ils s'y retrouvent dans le dédale des œuvres exposées.

Un rigolocode

Imagine un code pour flécher le parcours de ton exposition (pages 136-137) : comment représenter l'entrée, la sortie, le fléchage, le péage ?
Tu peux aussi imaginer le rigolocode à afficher à proximité des œuvres ou encore à porter sur soi comme un pin's (V.I.P.).
Interdit de bâiller
Passage dangereux
Stationnement limité à trois minutes
Hauteur maximale : 2 m
Parking obligatoire...

Un livre d'or

A l'issue de l'expo, dépose sur une table un livre d'or pour y recueillir les commentaires de tes visiteurs.

Des étiquettes explicatives

Sur celles-ci figurent le nom de l'artiste, le titre de l'œuvre, la technique utilisée, la date de réalisation (page 269).

Saul Steinberg

"Ce sont les regardeurs qui font les tableaux."
Marcel Duchamp

Expos voyageuses :

Le press-book

Un press-book est un classeur fait de pochettes transparentes dans lesquelles tu glisses tes réalisations.
Emporte-le avec toi pour montrer tes dessins. En première page, mets-y un autoportrait en guise de présentation.

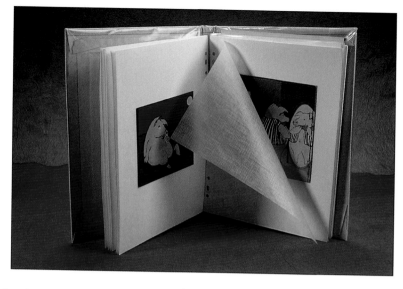

La cape d'exposition

Dans un grand morceau de plastique transparent, découpe (suivant le modèle) une cape. Procure-toi des chemises en plastique transparent que tu couds de manière à les diviser en quatre morceaux.
Applique-les sur la cape avec de la colle.
Introduis alors ta collection de cartes postales, tes dessins de petit format, etc. dans les pochettes. Revêts la cape.

x8   - - - - - - - - - - - coudre

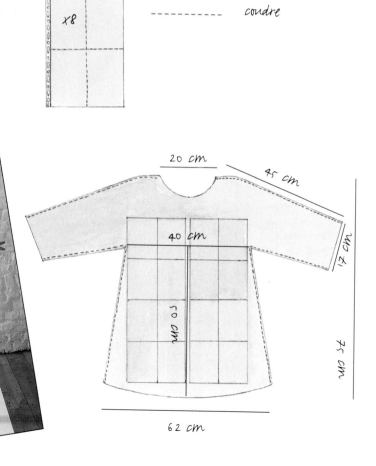

20 cm

45 cm

40 cm

17 cm

50 cm

35 cm

62 cm

J'expose... oui mais quand ?

Une exposition peut commémorer un anniversaire (le centième anniversaire de Magritte en 1998, l'invention de la lithographie il y a deux cents ans...) ou accompagner un événement marquant (une exposition universelle, l'an 2000, les Jeux Olympiques et diverses célébrations). Les artistes exposent seuls ou avec d'autres quand ils sont invités par une galerie, un musée ou une autre institution. Quand l'envie leur prend, ils peuvent aussi ouvrir leurs ateliers...
Ils se mobilisent quand les circonstances les interpellent (affiche contre le racisme, exposition contre l'exclusion...)
Tu peux toi profiter d'une réunion de famille, d'une fête saisonnière, d'un anniversaire, de la fin d'un camp de vacances ou de l'année scolaire pour organiser une exposition de peinture.

J'expose... oui mais comment ?

Accrocher les œuvres ne signifie pas simplement les disposer contre un mur. Il faut également prévoir, penser les regroupements éventuels, les relations des œuvres entre elles, afin de les mettre en valeur le mieux possible.

On peut envisager de les présenter dans l'ordre chronologique (en fonction du moment où elles ont été réalisées) ou les associer en fonction des couleurs, des formats, de la superficie du mur.

Certaines œuvres seront mieux mises en valeur si elles sont isolées, d'autres ont besoin d'être entourées. Il s'agit donc de définir un critère pour organiser l'accrochage :

• la juxtaposition de peintures du même format...

• la cohabitation de peintures et d'objets...

Des panneaux amovibles d'exposition à faire soi-même

Des panneaux en contre plaqué à faire découper au format que tu veux et à fixer avec des charnières (Fais-toi aider par un adulte).

160 cm

60 cm

Le cadre : une prison dorée ?

Le cadre qu'on a l'habitude de voir autour des tableaux anciens est employé à partir du XVIe siècle. Il sert à isoler l'œuvre du mur mais également à souligner la valeur du tableau : plus il est riche et travaillé plus le tableau est précieux. Seurat (page 138) est le premier artiste à remettre en question le statut du cadre dans la peinture. En peignant autour du tableau des bandes qui servent d'encadrement et en peignant le cadre lui-même. D'autres artistes libèrent la toile de son cadre et de son châssis pour la laisser flotter librement.

Branché

Colle sur le pourtour du cadre une collection d'éléments naturels : feuilles séchées, morceaux de branches, etc.

Le tour du cadre

Habille tes œuvres en donnant un look "de circonstance" à tes cadres.

Kitsch

Récupère des cadres anciens que tu ornes de coquillages, capsules, boutons, pâtes alimentaires et que tu vaporises de peinture dorée en bombe afin de leur donner l'aspect précieux des vieux cadres.

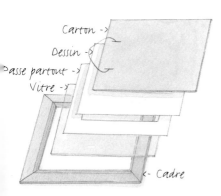

Carton →
Dessin →
Passe partout →
Vitre →
← Cadre

BCBG

Pour réaliser un cadre classique, tu dois additionner les quatre côtés de ton dessin ou de ta peinture. Cette mesure te donne le métrage de moulure d'encadrement à acheter.
Procure-toi également un verre de 2 mm d'épaisseur à faire découper aux dimensions de ton travail et un carton de même format.

Entaille le morceau de carton afin d'y introduire une ficelle (destinée à suspendre le cadre).

Place successivement dans la moulure : la vitre, le passe-partout, le dessin et le carton. Encolle les 4 tenants du cadre et assemble-les en les entourant avec une corde serrée par un nœud coulant. Laisse sécher.

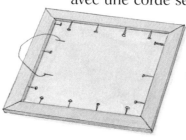

A la Russe

Découpe alternativement dans du carton brun et du carton ondulé, des cadres de taille décroissante. Superpose-les.
La fenêtre du dernier cadre doit correspondre à la taille du dessin à encadrer. Sur son rebord, tu peux fixer une étiquette précisant le titre de l'œuvre à l'aide d'attaches parisiennes.

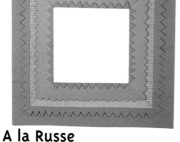

Bavard

Fais le tour du cadre avec des morceaux de journaux, de partitions de musique, des timbres, des signatures de peintres célèbres...

Gourmand

Offre un cadre décoré de bonbons à la gomme que tu colles sur le pourtour d'un cadre en carton à l'aide d'un glaçage fait de sucre impalpable mélangé à de l'eau.

Une expo, ça s'annonce

Recense toutes les personnes que tu veux inviter à voir ton exposition. Y compris "la presse" (le journal de l'école ou, à défaut, prévois un "infocartable"), "les personnalités" (ta grand-mère à qui tu dédies cette expo, le directeur de l'école, ton prof de piano...).

Réalise des cartons d'invitation en ayant recours aux procédés d'impression (pages 112-113) ou de reproduction (pages 100-101).
Les cartons d'invitation, comme les affiches, doivent mentionner le lieu, la date du vernissage ou de la manifestation que tu organises, son titre, sa durée, les heures d'ouverture, le nom des artistes...

Une expo, ça se fête !

Pour fêter l'ouverture de ton exposition, organise un "vernissage".

Quel vernissage !

Les tableaux à l'huile doivent être vernis pour être protégés de la poussière, des taches, des griffures. Cette ultime étape est le vernissage. On a donné le nom de vernissage à l'inauguration d'une exposition de peinture, en souvenir du temps où les peintres étaient autorisés à achever de vernir leur tableau le jour de l'ouverture.

Archimboldo

Dispose toutes sortes de légumes pour former un portrait.

Une picassiette

Garnis une assiette de friandises roses et bleues pour rappeler les périodes de Picasso !

Brochettes salées ou sucrées

Réalise de petites brochettes en variant les couleurs.

Un cocktail fruituriste

Presse 4 oranges, 1/2 pamplemousse rose, 2 citrons verts, auxquels tu ajoutes 1 cuillère à soupe de sucre de canne et des glaçons.
Ou encore presse un pamplemousse rose, ajoute 4 cuillères à soupe de sirop de framboise et de l'eau pétillante.

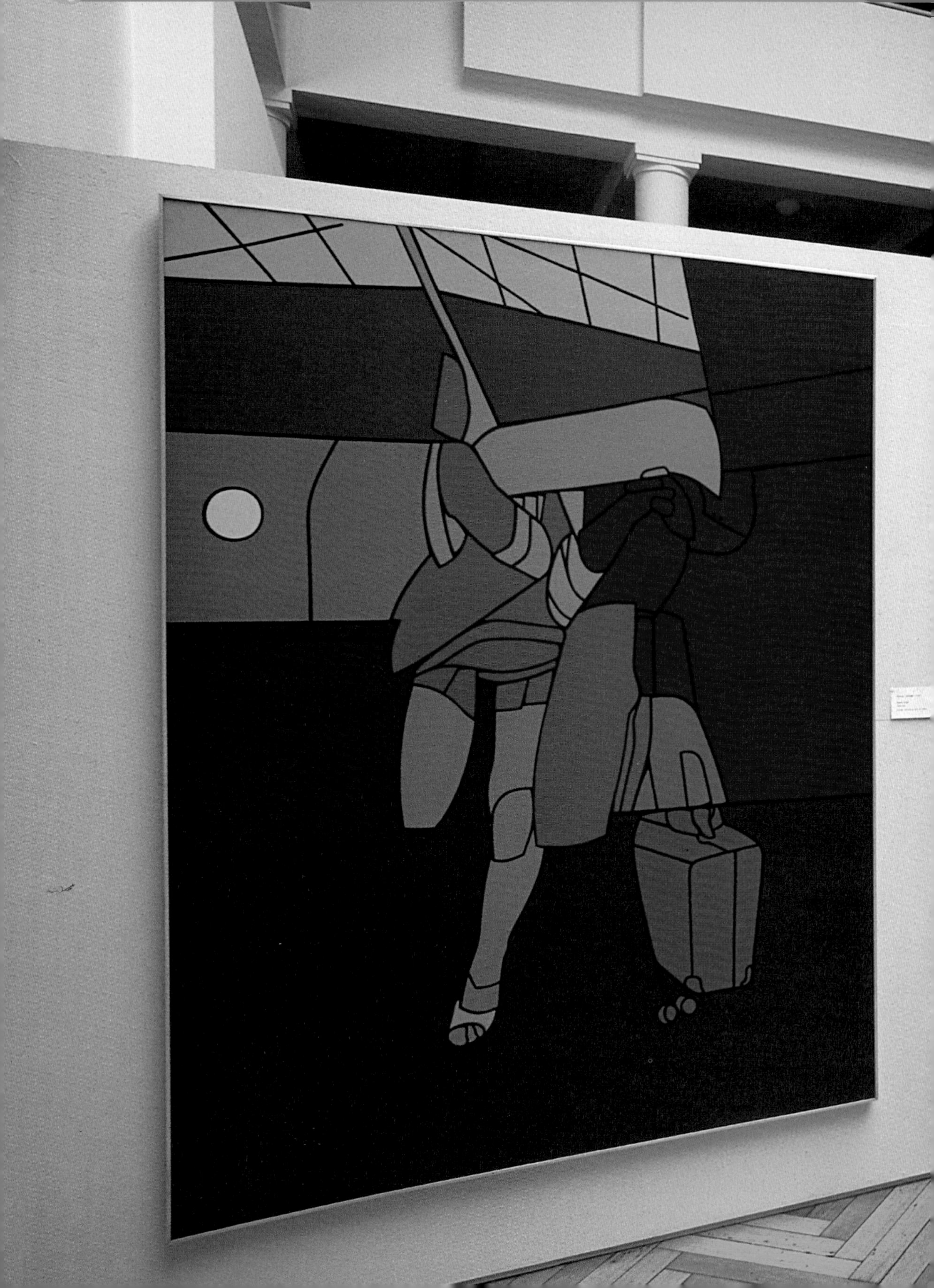

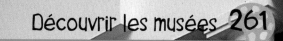

Un musée est un lieu un peu mystérieux, parfois austère mais toujours magique, où tu peux passer cinq minutes, une heure ou une journée simplement pour le plaisir des yeux. Tourne la page et pars à la découverte de cette caverne d'Ali Baba.

Découvrir les musées

Aller au musée ?
Et pour quoi faire ?

Le principal intérêt d'une visite au musée est d'y découvrir les œuvres originales. Celles-ci ne peuvent être comparées aux reproductions que les livres te donnent à voir, qui sont souvent présentées sorties de leur contexte et de leur environnement !

A l'origine : une collection

Le musée naît de la collection. Cette manie d'accumuler peut concerner des chefs-d'œuvre comme des objets tout simples, dérisoires. Il existe 3 types de collectionneurs : les animaux, les adultes, les enfants. Parmi les premiers, on trouve le hamster, la pie, l'écureuil. Chez les seconds, on distingue les curieux, les amateurs, les connaisseurs et les experts. Les collectionneurs d'art sont généralement des amateurs qui acquièrent des œuvres pour le plaisir qu'elles procurent. Certains sacrifient littéralement tout leur argent à cette passion. En faisant cela, ils soutiennent les artistes. Quelquefois, ils se consolent ainsi de n'être pas artistes eux-mêmes.

Quant aux enfants, ce sont certainement les collectionneurs les plus originaux !

Vite fait, bien fait !
Un collectionneur voit Picasso en train d'esquisser en quelques secondes un dessin très rapide.
L'Américain, en homme d'affaires avisé, croit pouvoir négocier le dessin à un prix intéressant.
Mais Picasso réclame une somme folle.
L'Américain s'indigne :
- Cela vous a pris à peine quelques secondes, s'insurge-t-il.
- Certes, rétorque Picasso, mais derrière ces quelques secondes, il y a 20 ans de métier.

Collectionneur toi-même !
Et toi ? Que collectionnes-tu ? Les dessins, les coquillages, les cartes postales, les timbres, les télécartes, les étiquettes de fromage ?
Si tu n'es pas encore fixé, choisis vite. Tu constateras que, rapidement, tes amis t'aideront pour alimenter ta collection.

Peggy Guggenheim est une célèbre collectionneuse américaine. Fille de magnats du cuivre, elle est plutôt anticonformiste. Elle commence sa collection à Paris en 1939 où elle achète une œuvre par jour jusqu'à la fin de l'hiver 1940. Retournée aux Etats-Unis, elle est pour un temps l'épouse de Max Ernst. Elle est la première à exposer dans sa galerie les artistes de l'Ecole de New York. Sa collection comporte donc, outre des Picasso, Braque..., de nombreux surréalistes et des artistes américains comme Pollock et Rothko.

De passage à Venise pour la Biennale de 1948, elle acquiert un palais avec vue sur le Grand Canal, où est établie aujourd'hui la Fondation Peggy Guggenheim.

Peggy Guggenheim à Venise

J'ai déjà vu ce tableau à l'école

Ton école possède donc une collection de peintures ? Non, bien sûr ! Le tableau dont tu parles figurait sans doute dans un livre ou a été projeté sous forme de diapositive. C'était une reproduction.

Souvent nous ne connaissons le travail des peintres que par la reproduction de leurs tableaux dans des livres, des magazines, des catalogues. Pour être reproduit, le tableau subit d'inévitables transformations : l'œuvre est "aplatie", elle passe de 3 à 2 dimensions, réduite au format de la page, les couleurs sont modifiées par le cliché, la photogravure et l'impression qui, quelles que soient leurs qualités, ne restitueront jamais parfaitement la "palette" du peintre, la texture du tableau est remplacée par celle du papier et les matières ne seront plus perceptibles. Les reproductions sont un excellent moyen de faire connaître une œuvre mais rien ne remplacera jamais la confrontation "physique" au travail du peintre. N'hésite donc pas à pousser la porte des musées ou des galeries : tu pourrais avoir d'étonnantes surprises !

Muséum ou musée ?

Dans l'Antiquité, les Grecs se rendaient dans le temple des muses (déesses des arts), le "mouséion", pour admirer les trésors constitués de dons, ex-voto et offrandes destinés aux dieux.

A la Renaissance, les princes d'Europe commencèrent à montrer leurs collections assemblées dans des galeries d'apparat ou des cabinets de curiosités, d'abord entre eux, ensuite au public. On reprit alors le terme "muséum", puis "musée" pour désigner une grande collection d'objets d'art ou de science.

Aujourd'hui encore, le muséum est un musée consacré à l'histoire naturelle.

Un musée, à quoi ça sert ?

Le musée est une institution au service de la société. Son rôle est de conserver des biens originaux représentatifs de la nature et de l'homme. Il acquiert des objets pour accroître les connaissances et sauvegarder le patrimoine. Il étudie les collections et les présente au public de manière à ce qu'elles soient comprises et aimées.
Que de missions donc en perspective ! Mais voyons cela de plus près...

Le premier travail du directeur du musée, le conservateur, avec l'aide d'une équipe de spécialistes, est **d'inventorier** l'objet et rechercher à son propos toutes sortes d'informations sur l'origine, la date, l'auteur, la manière, la technique... Compulser livres, fichiers, archives, dictionnaires, observer à la loupe ou à partir de radiographies... tous les moyens sont bons pour collecter ces informations qui seront ensuite publiées dans le catalogue du musée.

Il ne suffit pas d'exhiber les objets, encore faut-il veiller à les **préserver** en les protégeant des dangers qui les guettent. Eh oui, l'air de rien, lumière, poussière, humidité, incendie, traces de doigts, vol, vandalisme, insectes, temps qui passe, sont tous des ennemis déclarés des œuvres exposées dans les musées. Mais heureusement, les gardiens sont là : pas question de toucher un objet ! Et puis on peut aussi compter sur l'équipe des restaurateurs, c'est un peu l'équipe médicale qui se charge des objets "malades" (page 269).

Enfin, **informer** est le dernier devoir dont s'acquitte le musée. L'information est présente sous des formes variées, allant de la simple étiquette informative (page 269) à des textes portés sur des panneaux, sans oublier des publications diverses (livres, brochures, films...), des visites commentées par des guides professionnels.
Dans les musées, l'ami des enfants est le responsable du service éducatif. C'est lui qui propose des activités, des animations adaptées à ton âge.

Musée verdoyant
Le Kroller-Muller est un musée hollandais situé dans une immense réserve naturelle. Le but de ce musée est de mêler nature, art et architecture.

Musée portatif

En 1948, Marcel Duchamp entreprend d'éditer ses œuvres complètes sous la forme d'un musée portatif. Il y met des reproductions de ses tableaux, de ses dessins, 4 mini ready-mades, des textes, il baptise le tout "boîte en valise" et l'édite à 20 exemplaires (pour commencer).

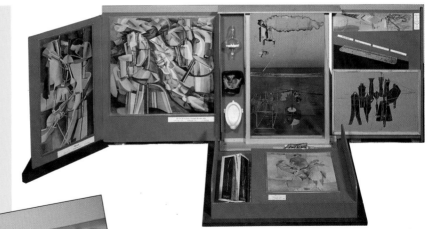

Musée en spirale

En 1946, l'architecte Frank Lloyd Wright conçoit en pleine ville de New York un musée en béton en forme de gigantesque spirale composée d'un plan incliné de 1200 m qui se déroule sur 5 étages. Il s'agit du musée Guggenheim.

Musée-jardin

Ce sont les Scandinaves qui ont inauguré le développement des musées en plein air. Le premier et le plus célèbre est situé dans le parc de Skansen à Stockholm et date de 1891.

Sa visite prend la forme d'une promenade entre un jardin botanique et zoologique, un manoir et un village de maisons anciennes.

Fondation Maeght, Saint-Paul-de-Vence, France

Fondation Juan Miró, Barcelone, Espagne

Peintres fauchés

A l'époque où il peignit le *Déjeuner sur l'herbe*, Manet vivait chez un charpentier à qui il devait plusieurs loyers de retard. Manet lui offrit le tableau en guise de gage. Le charpentier le dégrafa, le roula et le remisa dans un coin de la cave. Quelques années plus tard, Manet voulut racheter le tableau qu'il avait offert. Le menuisier retrouva la toile. Elle était fort abîmée. Manet préféra la découper plutôt que la restaurer. Voilà pourquoi le tableau exposé au musée, se compose de plusieurs toiles.

Que faire dans un musée ?

Le musée est un véritable paradis pour l'imagination. Alors, sans pour autant y faire une course d'obstacles ou se livrer à une partie de cache-cache, voici quelques pistes pour passer agréablement le temps d'une visite au musée.

La panoplie du visiteur avisé

De même que tu ne vas pas jouer au tennis équipé de ta palette de peintre, inutile d'arriver dans un musée encombré de tout un harnachement. Débarrasse-toi donc au vestiaire de tout ce qui pourrait t'embarrasser.

Tu sais que le musée a pour tâche de protéger les œuvres, aussi les sacs à dos y sont peu recommandés : ils risquent de griffer les œuvres.

Tu veilleras donc à t'équiper d'une banane discrète à porter autour de la taille dans laquelle tu glisseras :
• un carnet de croquis et un porte-mine (pour dessiner)
• un répertoire téléphonique dans lequel tu peux répertorier le nom des peintres que tu découvres, leur adresse (lieu de rencontre) et leur date de naissance

• des petites machines à voir telles que loupe, lunettes grossissantes, miroirs, lunettes de soleil, verres colorés pour te livrer à des expériences : observer le même objet de près, de loin, flou, net, en filtrant les couleurs, etc.
Tu peux en outre prévoir :
• un support rigide, des feuilles de papier et une pince, à défaut d'un carnet de croquis
• un petit coussin pour les stations assises, prolongées
• une gourde bien hermétique : il fait chaud !
• une heure de rendez-vous (au cas où tu te perds dans les salles !) et ta carte de V.I.P. (nom-prénom-adresse...)

Regarder des œuvres, cela prend du temps. Il vaut mieux regarder convenablement un nombre d'œuvres limité que de tout zapper en un temps record.

Choisis une œuvre qui t'attire. Retournes ton sablier et observe-la attentivement pendant trois minutes.

As-tu trouvé le temps long ?

Alors la chasse aux idées fausses à propos du musée... est ouverte !

Chaque œuvre t'initie à une aventure particulière : un jeu de mains, un jeu de mime, un jeu de regard, un jeu de mots. A toi de choisir parmi les pistes qui te sont proposées...

Devinette

Choisis encore une œuvre et essaie de la décrire avec le plus de précision possible : nomme les choses représentées que tu reconnais (un vase, un arbre, un personnage...), leur disposition sur la surface, leur point de vue (de face, de profil, de 3/4...), la lumière, les couleurs.

Décris comment ces éléments sont peints (vois-tu des traces de pinceau, de matière ?). Crois-tu qu'un autre visiteur puisse identifier le tableau sur la base de cette description ? Fais-en l'expérience !

A l'entrée du musée Hirshorn à Washington, une pancarte accueille les visiteurs en les invitant entre autres à s'amuser... tout en précisant "gentiment" quelques interdictions.

DANS LE MUSÉE...

VOUS ÊTES INVITÉS À... RÊVER, CONVERSER, FUMER, ÉTUDIER, FLÂNER, TOUCHER, PRENDRE PLAISIR, ENCOMBRER, VOUS DÉTENDRE, MANGER, REGARDER, APPRENDRE, PRENDRE DES NOTES AVEC UN STYLO, UN CRAYON...

Emballage cadeau

Un important collectionneur vint un jour rendre visite à Christo. L'artiste lui offrit l'hospitalité. Quelques jours après le départ du collectionneur, Christo reçut un coup de fil : il avait oublié ses pantoufles et y tenait énormément. Christo promit de les lui renvoyer. Et il les emballa et les posta. L'affaire avait été longtemps mijotée par le collectionneur qui possède depuis lors une œuvre très personnelle de Christo.

Par contre, les ouvriers du Musée d'Art moderne de Paris qui avaient été chargés de réceptionner les œuvres de Christo ignoraient que son originalité consistait à présenter des objets emballés et ficelés. Ils coupèrent donc toutes les cordes et déballèrent tous les objets. Il fallut appeler l'artiste pour qu'il vienne restaurer ses sculptures.

Conversation

Souvent les tableaux se côtoient dans un musée. Imagine une conversation entre deux œuvres accrochées l'une près de l'autre.

Enquête

Interroge les gardiens du musée : ils ont certainement une foule d'anecdotes à te raconter. Depuis quand travaillent-ils ici ? Quel est leur souvenir le plus drôle, émouvant, surprenant ? Quel est leur visiteur le plus célèbre, régulier, âgé ? Quel est le tableau le plus regardé, critiqué, ignoré ?

Chef Croque

Dessine ce que tu vois sans regarder ta feuille et sans que ton crayon ne la quitte ? Dessine dans ton carnet les expressions, les formes, les personnages qui te plaisent. Bref, regarde avec ton crayon !

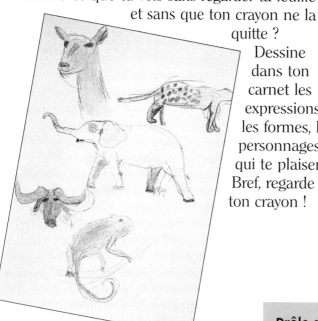

"J'entends et j'oublie,
Je vois et je me souviens,
Je fais et je comprends."
(Proverbe chinois)

Drôle de vandale

Perpétuellement insatisfait de son travail, Georges Rouault revenait souvent sur les toiles qu'il avait peintes. Un jour, un gardien de musée le surprit en train d'apporter quelques retouches à l'une de ses œuvres. Il fut traîné devant le conservateur du musée qui le traita de tous les noms... jusqu'au moment où il découvrit qu'il s'agissait de Rouault lui-même.

Mais encore

Et après ?

Imagine pour les visiteurs qui te succéderont à quoi correspond dans le musée :
· le parcours bleu (œuvres à couleur dominante bleue)
· le parcours gourmand (œuvres les plus appétissantes)
· le parcours étoile (choix étoilés)
· le parcours détective (œuvres les plus énigmatiques)
Décerne tes coups de cœur.

Pour cela, trace un plan de visite en localisant les œuvres que tu as sélectionnées.

Miniséum

Crée ton musée miniature : colle sur les parois latérales et sur le fond d'une boîte à chaussures des reproductions miniatures de tableaux que tu aimes. Dans de la pâte à modeler à cuire, modèle une famille de visiteurs : la tienne ?
Tu peux fermer la boîte à l'aide d'une vitre ou la laisser ouverte.

Le code secret des étiquettes

Dans un musée ou une exposition, chaque œuvre est accompagnée d'une étiquette explicative. Elle se présente un peu comme dans ton copain des peintres. Tu peux trouver les mentions suivantes :
- le nom et le prénom de l'artiste
- le titre de l'œuvre
- sa date d'exécution
- la technique utilisée
- son origine (collection particulière, legs de M. Machin)
- le numéro d'inventaire

Les œuvres d'art livrent leurs secrets !

Aujourd'hui, grâce aux techniques de laboratoire, on peut déceler dans les peintures des choses invisibles à l'œil nu et découvrir toutes les étapes du processus. Les rayons X peuvent transpercer toutes les couches de peinture jusqu'au support. Les rayons infrarouges font apparaître le dessin préparatoire au fusain ou au crayon sous la couche de peinture. Les rayons ultraviolets de la lampe de Wood donnent une idée précise de ce qui est à la surface du tableau, en rendant certaines matières fluorescentes.

Au Musée de La Haye, une historienne d'art examine un tableau de Mondrian avec des U.V. (1994).

Peintres copains, peintres malins

Et si c'était à la fin que tout commençait ? Rassemble tous tes copains autour du Copain des peintres et amuse-toi à faire la fête et à créer des jeux de toutes pièces.

Peindre entre copains

L'un est habile, l'autre inventif.
L'un aime démarrer, l'autre fignoler.
L'une aime bricoler, l'autre décorer.
L'un aime dessiner, l'autre colorier.
L'un peindre, l'autre dépeindre...
Pour une chose ou l'autre,
l'un a du talent, l'autre aussi !
Alors, à l'occasion d'un anniversaire
ou pour un après-midi pluvieux,
plus on est de fous, plus on rit !

Une fancy f'art

Du jeu de massacre au jeu d'adresse en passant par la pêche miraculeuse sans oublier le spectacle de marionnettes, le stand de maquillage, le concours de déguisements, la fancy f'art est une excellente occasion d'exercer tous vos talents.

Voici quelques pistes pour ta fancy f'art

- Récolter et décorer des canettes vides pour constituer un gigantesque jeu de massacre. Chaque boîte tombée vaut un point.
- Peindre des poissons multicolores. Y fixer un petit bout de laine. Fabriquer une canne à pêche à l'aide d'une baguette, d'une ficelle et d'un trombone.
Chaque poisson porte un numéro.
- Peindre un animal sur un grand panneau de polystyrène expansé.
Le jeu consiste à lui ajouter une queue en lançant une fléchette. Chaque essai réussi donne droit à un point.
- Le total des points acquis donne droit à un cadeau : une carte postale ? un jeu des familles ? Rechercher des idées dans le livre. Sur ce principe, inventer des stands d'inspiration BD, thématiques (les grands peintres, les animaux...), insolites, insolents.

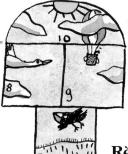

Marelles

Participants : 2 à 5 joueurs - **Matériel** : des bouts de craie • une pierre par enfant - **Lieu** : extérieur.

Règles du jeu : Il existe plusieurs jeux de marelles, mais voici les règles du "Ciel et Terre" qui peuvent être compliquées selon les besoins. Se placer sur la case 1 et pousser le caillou sur la case 2. Sauter sur un pied de la case 1 à la case 2, prendre le caillou et retourner sur la case 1. Lancer le caillou sur la case 3, sauter de 1 jusqu'à 3 et lancer de nouveau le caillou sur la case 1.

Sauter de 3 sur 2, puis sur 1. Recommencer en lançant le caillou sur la case 4, et continuer de la même façon jusqu'à 10 (ou plus loin s'il y a plus de cases). Si la caillou tombe sur une mauvaise case ou sur un trait, le joueur perd et c'est à l'autre de jouer (celui qui vient de perdre peut recommencer à partir de la case où il a commis une erreur, mais seulement quand tous les autres ont joué à leur tour). **Variantes** : - après un passage sans faute et un lancer de pierre correct, on peut s'attribuer une case et la marquer d'un sigle. Dès ce moment, plus aucun joueur ne peut s'arrêter sur cette case. - choisir un autre moyen que le pied pour pousser le caillou lors du retour. Tu peux le transporter sur la paume de la main, ensuite sur le pied ou sur la cuisse, sur la tête et pour finir, sous le menton, sans le laisser tomber.

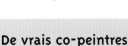

De vrais co-peintres

Braque et Picasso, rivaux et concurrents, furent aussi liés par une profonde amitié pendant des années, tant leurs idées étaient communes sur de nombreux sujets.

Ils se rencontrent à Paris vers 1909 et restent amis jusqu'en 1914, lorsque Georges Braque est appelé sous les drapeaux.

Lorsqu'ils étaient tous deux à Paris, ils se voyaient tous les soirs et parlaient du travail accompli pendant la journée. "C'était un peu comme la cordée en Montagne..." Ils unissaient leurs efforts. C'est à l'époque de cette amitié qu'ils inventent ensemble le cubisme.

Pendant un temps, ils ne signent pas leurs toiles, créant ainsi une confusion entre leurs œuvres.

Comment dessiner la marelle : Dessine le diagramme sur le sol de la cour de récréation ou sur un trottoir. Reprends une des formes illustrées sur cette page ou laisse libre cours à ton imagination. Utilise des craies de couleur. Rends ta marelle attrayante en y dessinant des petits tableaux. Tu peux agrandir la marelle en ajoutant des cases.

Peintres en tous genres

Peindre en rythme

Posez sur le sol une grande feuille de papier autour de laquelle vous vous installez.
Attribuez à chacun un pinceau et une couleur par main, par exemple rouge à droite, bleu à gauche.
Choisissez un morceau de musique rythmé (de la musique africaine).
Au son de percussions, animez la feuille de touches de couleur posées sur le papier au rythme de la musique.
Quand le morceau est terminé, examinez le résultat : sélectionnez les parties les mieux réussies.

Peindre en pièces

Découpez une reproduction de tableau ou une image en carrés de 2 cm de côté. Partagez ces fragments entre les participants. Distribuez-leur ensuite autant de petits cartons blancs de 4 cm/4 cm. Chacun essaie de reproduire en peinture le plus fidèlement possible son fragment en l'agrandissant au format du carton. De temps en temps, reconstituez l'ensemble pour examiner et ajuster les raccords entre les morceaux.

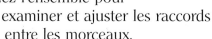

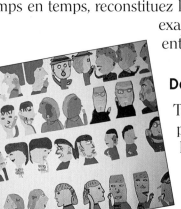

De bouche à oreille

Tu connais le jeu du téléphone sans fil ? Son principe consiste à murmurer une phrase à l'oreille de son voisin qui lui-même la murmure à son propre voisin et ainsi de suite en faisant le tour du cercle. Cette phrase, en passant de bouche à oreille, se déforme au fur et à mesure. Chaque participant divise une feuille A3 en 2. Sur le côté gauche, chacun dessine un personnage expressif de profil (de préférence) qui écoute avec intérêt, surprise ou étonnement. Sur le côté droit, chacun dessine le même personnage qui parle (il répète le message). En assemblant tous vos dessins, vous obtiendrez une chaîne de personnages qui se répètent le message.

Peindre en cascade

Choisissez un thème que vous notez au dos de votre feuille.

Réglez une minuterie sur trois minutes ou retournez un sablier.

Commencez votre dessin. Lorsque le temps est écoulé, passez votre dessin au voisin de gauche et poursuivez le dessin de votre voisin de droite après avoir pris connaissance de son thème. Faites de même jusqu'à ce que chacun ait collaboré à tous les dessins.

Peindre en famille

Entre copains ou en famille (pour 6 joueurs).

Comment fabriquer son jeu :

Chaque participant invente un nom de famille caractéristique, insolite ou amusant : "Les Rigol'arts", "Les Contempl'arts", "Les Flemm'arts", "Les Pomp'arts". Mettez-vous d'accord sur la composition de la famille : 6 membres dont le papa, la maman, le fils, la fille, le grand-père, la grand-mère par exemple.

Sur une feuille divisée en 6, dessinez les personnages et indiquez lisiblement leurs noms : Papa Rigol'art, Maman Rigol'art, etc.

Mettez les dessins en couleur en y ajoutant les caractéristiques qui identifient clairement chaque famille.

Les dessins coloriés des six familles sont à découper sous forme de cartes et éventuellement à renforcer avec du carton fin.

Règles du jeu :

Partagez-vous toutes les cartes. Le premier joueur demande à son voisin une carte en vue de reconstituer une famille complète par exemple : la Fille Rigol'art.

Si le voisin la détient, il doit la remettre à celui qui l'a réclamée. Le premier joueur peut alors en demander une seconde. Si son voisin ne l'a pas, c'est au tour de ce dernier de se tourner vers un participant pour obtenir la carte qu'il souhaite. Le gagnant est celui qui le premier a constitué et déposé une famille complète sur la table.

Co-peintre ?
Bienvenue
au club !

Qui se ressemble s'assemble. Tous
les prétextes sont bons pour former
une famille de copains. De tout
temps, il y en a eu partageant les
mêmes passions pour former des
mouvements, des partis, des
coopératives, pour peindre en
commun, sculpter, écrire, publier,
exposer, conclure des pactes, signer
des chartes, des manifestes...
Ils montent ensemble des expositions,
participent à des jurys, se rencontrent
dans les vernissages. Depuis que l'art n'est
plus lié à des techniques traditionnelles de peinture ou de sculpture,
depuis que l'idée prime sur le savoir-faire, de nombreux artistes
travaillent en couple, en tandem ou en équipe.

Tu aimes peindre ? Ne reste pas seul ! Pourquoi ne pas constituer un "mouvement de
peintres" réunissant tous les mordus de ta classe, de ton quartier, de ta famille ?
• Etablissez votre "atelier central" dans la cabane au fond du jardin, dans un coin de
grenier, dans le terrain vague ou sur un banc du parc aménagé de votre quartier.
• Etablissez le "programme" de vos activités : visite d'exposition, atelier de peinture,
réalisation de jeux, invitation d'un peintre, exposition de vos œuvres, "peinture party"...
• Partez peindre et pique-niquer dans la campagne, allez croquer ensemble les animaux
du zoo...
• Adoptez un nom pour votre groupe ou votre atelier :
  · à partir du nom de votre ville, votre village, votre quartier
  · à partir d'un jeu de mots : les Galapagosses, les Pica-sots, La Gouache qui rit, etc.
  · à partir d'initiales de vos prénoms
  · à partir d'une abréviation : le groupe ABC (Association des Bons Co-peintres)
• Imaginez un signe de ralliement commun à tous vos membres : une carte, un tee-shirt,
un chapeau, un badge, un pin's... (voir Techniques d'impression).

Peintre opportuniste

Un jour, Rauschenberg acheta un dessin de Willem de Kooning. Il effaça le dessin pour ne garder que la signature et l'exposa sous le titre "dessin de de Kooning gommé par Rauschenberg".

Joseph Beuys, Andy Warhol et Robert Rauschenberg prennent la pose.

Co-peintres amoureux

S'il y a des paires de bons amis, il y a aussi des couples d'artistes, Robert et Sonia Delaunay, Jean Arp et Sophie Taeuber, Anne et Patrick Poirier, Niki de Saint-Phalle et Tinguely...

Yves Klein et Jean Tinguely, Paris, 1958

Potes en dispute

En 1917, Mondrian fonde avec Théo Van Dœsburg le groupe De Stijl. Il se donne comme mission d'inventer un nouveau langage plastique fait de lignes horizontales, de verticales et de couleurs primaires.

Un peu plus tard, Mondrian se dispute définitivement avec son ami parce que celui-ci avait enfreint les principes établis en peignant une oblique dans un tableau.

Noms d'artistes

Avant toi, des artistes se sont amusés à trouver des noms de groupes amusants. BMPT : ce sont les initiales de quatre artistes qui ont constitué un groupe pendant un an (Daniel Buren, Olivier Mosset, Michel Parmentier, Niele Toroni). COBRA : six artistes, peintres et écrivains s'associent sous le nom de "COBRA", initiales des villes d'Europe du Nord dont ils sont issus (Copenhague, Bruxelles et Amsterdam). Karel Appel, Dotremont et Alechinsky en faisaient partie.

Dotremont et Alechinsky, Linologi I, 1976, linogravure et encre au pinceau

Groupe d'étudiants et de professeurs de l'école du Bauhaus (page 163), Weimar, 1923,

Transformer son Copain des peintres en coffre à jeux

Avec ou sans matériel, à toi de jouer !
Voici une liste de suggestions
pour jouer avec tes copains
à partir des images et
informations contenues
dans ton livre.

Ambassad'art

Un meneur de jeu dresse une liste
de 15 titres de tableaux à mimer.
Les joueurs se répartissent en
deux équipes. Le meneur
communique le premier titre de sa
liste à un joueur de chaque équipe.
Celui-ci doit alors par un mime
faire deviner le nom du tableau à
son équipe.
Le coéquipier qui a trouvé prend
ensuite la place du premier joueur et

Le cri de Munch   (pouce) de César   Guernica de Picas...

va chercher auprès du meneur le second titre. Et ainsi de suite jusqu'à ce que la liste
soit épuisée.
L'équipe gagnante est bien évidemment celle qui la première a retrouvé le titre de tous
les tableaux.

Tableau vivant

Formez deux équipes.
Choisissez des
tableaux qui
mettent en scène
des personnages
et en équipe,
reconstituez la
scène. L'autre
équipe doit
deviner de quel
tableau il s'agit.

Portrait chinois

Le meneur de jeu choisit une œuvre figurant dans le livre.
Les joueurs lui posent des questions :
"Et si le tableau était... un fruit, qu'est-ce que ce serait ?
Et si le tableau était une chanson... ?
Et si le tableau était une couleur... ?
Et si le tableau était un animal... ?
Et si le tableau était une ville... ?
Et si le tableau était une histoire... ?
Et si le tableau était un pays... ?"
En associant le tableau à une succession de mots, il faut
en deviner le titre.

Loto des tableaux

Participants : 4 au minimum

Matériel : 4 cartes postales reproduisant des tableaux et 4 morceaux de carton épais (de la même taille)•
un crayon • un marqueur noir • une règle plate •
un petit sac

Lieu : intérieur

Tu peux aussi réaliser un "loto sportif" à 6 cases dans lesquelles 6 personnages font du sport. Tu pourrais recourir à la technique de gravure sur gomme (page 113).

Comment fabriquer ton jeu :

Partage chaque morceau de carton en 8 cases sur lesquelles tu inscris des nombres, comme indiqué ci-dessous. Garde ce carton devant toi pour jouer.

Partage les cartes postales de tableaux en 8 cases (au crayon). Inscris-y les mêmes nombres que sur les cartons dans le coin inférieur droit. Découpe chacune des cartes en 8 morceaux et mets tous les morceaux dans un petit sac.

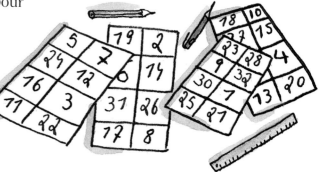

Règles du jeu :

Les quatre joueurs reçoivent chacun un carton (à 8 chiffres) et le posent devant eux.

Sans regarder, chaque joueur prend à son tour une pièce de puzzle dans le sac. Si celle-ci fait partie de sa planche, il la pose à sa place sur le carton. Sinon, il la replace dans le sac. Dès qu'un joueur a rempli toute sa carte, il crie : Loto ! Il a gagné.

Painting Pursuit

Participants : 2 à 6
Matériel : pour jouer au painting pursuit, tu as besoin d'un plan de jeu, de palettes et de boules de couleur en guise de pions, des fiches de questions et un dé. **Lieu** : intérieur

Pour faire le plan de jeu : un grand carton • crayon • règle plate • compas • 6 couleurs : vert, rouge, bleu, orange, violet, brun.

Sur le carton, trace 7 cercles concentriques croissant de 3 cm à 21 cm de rayon. Divise ta circonférence en 12 portions. Evide à l'aide d'un cutter une portion sur deux. Utilise les 6 couleurs pour colorier la surface comme dans l'illustration.

Pour faire les palettes : des cartons coloriés aux six couleurs choisies
• une perforatrice
• six allumettes.

Pour faire les boules de couleurs : 6 petites boules de plasticine des 6 couleurs.

Pour faire les fiches de questions : des cartons bristol (au moins 72) du format d'une carte à jouer • 6 feutres de couleur

Avec l'aide de ton Copain des peintres mais aussi d'un dictionnaire et d'autres ouvrages de référence sur la peinture, imagine et rédige 6 questions par fiche (une couleur par type de questions) :
une question dont la réponse doit être :
• un artiste
• un lieu
• une technique de peinture
• un mouvement
• une date
• un titre de tableau

Note la question au recto de la fiche et la réponse au verso. Attention, toutes deux doivent se trouver à côté de la couleur à laquelle elles correspondent.

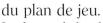

du plan de jeu.
Le hasard du dé détermine son déplacement. Il peut se faire à travers tout le jeu. Selon la couleur de la case sur laquelle il s'arrête, une question est posée au joueur.
S'il donne une réponse correcte, il reçoit la boule de couleur qui lui correspond et la pose sur la palette. Il peut alors rejouer.
Si la réponse est fausse, il reste sur place jusqu'au prochain tour. Le gagnant est celui qui a le premier atteint le centre du jeu muni des 6 couleurs sur sa palette. Il aura donc répondu correctement à 6 questions, une par couleur.

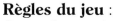

Règles du jeu :
On attribue à chaque joueur une palette. Celui-ci se place sur la case de départ correspondant à sa couleur, à l'extrémité

Tu peux aussi réaliser un memory à partir de gommes gravées (page 113). *Cervelle d'oiseau, mémoires d'éléphants, jeu de Kikie Crèvecœur*

Memory

Participants : 2 minimum
Matériel : dessins photocopiés et cartons forts
Lieu : intérieur

Pour réaliser les cartes du jeu : Trace sur une feuille de papier 40 carrés de 5 cm de côté. Fais autant de dessins. Photocopie-les pour en avoir deux de chaque. Colle-les sur des cartons forts découpés aux mêmes dimensions. Ensuite, mets-les en couleur.

Règles du jeu : Place tous les cartons à l'envers sur le sol ou sur une table. Le jeu consiste à essayer de retourner 2 cartons semblables pour constituer une paire. A chaque fois que tu n'obtiens pas une paire, tu dois retourner les cartons.

Le gagnant est celui qui obtient le plus de paires.

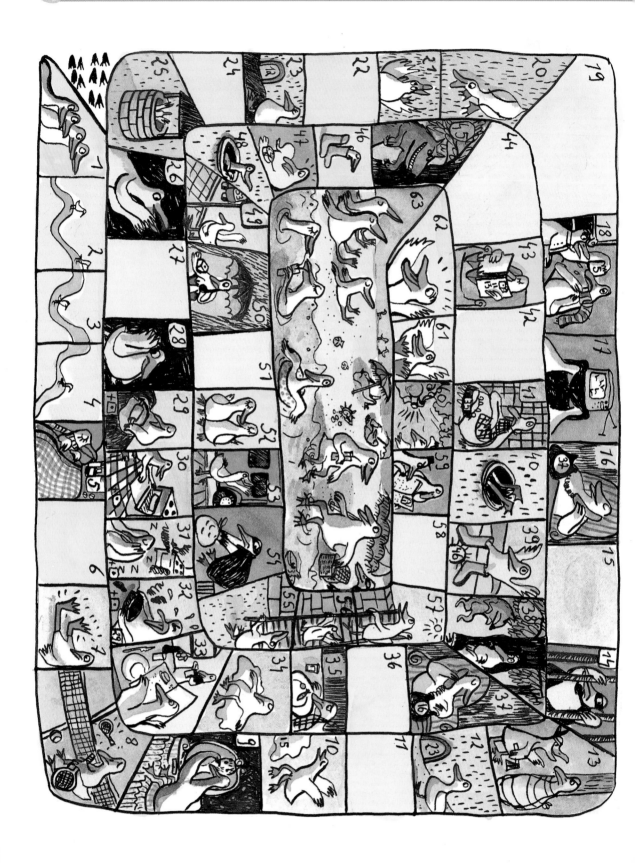

Jeu de l'oie

Participants : 2 minimum
Matériel : plan de jeu • pions • deux dés
Lieu : intérieur

Comment construire le plan de jeu : Tu peux fabriquer toi-même un parcours du jeu de l'oie en inventant des symboles, et les mouvements qui en dépendent. S'agira-t-il de récupérer un tableau volé ou du difficile parcours d'un peintre qui veut exposer ses œuvres ? Sur une grande feuille de papier, trace une route en forme de spirale comprenant 63 cases. Utilise la technique de ton choix pour illustrer les cases.

Règles du jeu : Pour participer au jeu de l'oie, chaque joueur doit avoir un pion d'une couleur différente. Chacun à leur tour, les joueurs jettent deux dés et font avancer leur pion d'un nombre de cases équivalent à celui obtenu avec les dés. Le joueur qui, le premier, arrive directement avec son pion à la case finale a gagné la partie, mais si, lorsqu'il jette les dés pour la dernière fois, il obtient un nombre supérieur à celui dont il avait besoin, il devra faire reculer son pion d'autant de cases qu'il y a de points en trop, en attendant d'arriver à obtenir le nombre de points exacts au prochain tour.

7 : tu as mal aux pattes, tu passes ton tour.

8 : quelqu'un doit venir jouer avec toi, si personne ne se porte candidat, tu passes ton tour.

9 : tu as un bouton de fièvre en plein milieu du visage. Tu passes la soirée à la maison devant la télévision, va au 17.

10 : tu as besoin de faire un petit saut dans la mare, va à la case 15.

12 : tu dois rentrer à la maison, va à la case 23.

13 : un canard indien te tient prisonnier, tu passes ton tour.

16 : tu montes au 37 car tu es au téléphone. Mais si tu tombes sur le 37, tu viendras au 16.

18 : tu es malade, tu as besoin de repos, va à la case 5.

20 : tu passes au 21.

23 : tu as envie de sortir prendre l'air, va au 12.

25 : tu attends que quelqu'un vienne te secourir, sinon tu passes ton tour.

28 : tu n'as pas bien entendu, tu retournes au 26.

32 : ton pain est trop cuit, recommence la pâte, va au 29.

37 : tu vas au 16.

39 : tes bottes sont trop grandes, tu vas au 46.

40 : tu vas au 48.

41 : tu as trop mangé, tu dois faire régime, retourne au 35.

43 : c'est vendredi 13, tu dois conjurer le sort pour qu'il ne t'arrive rien, passe ton tour.

45 : le loup est dans les parages, va vite te cacher au 38.

49 : tu dois rattraper ton bus, va au 53.

50 : il ne fait pas beau, tu dois faire 2 fois 1 avec les dés pour continuer, sinon tu passes ton tour.

52 : tu es amoureux, tu passes ton tour.

54 : tu es surpris en flagrant délit de vol, tu vas en prison, case 14.

55 : tu as une échelle qui te permet d'aller directement au 57.

59 : ton passeport n'est pas en règle, tu passes ton tour.

60 : le vent

souffle vraiment très fort, il t'envoie au 34.

63 : enfin, le paradis...

Bonnes adresses

Musées

France

Impossible de donner la liste complète des musées. Pour en savoir plus, contacte la Direction des musées de France, service des publics : **01 40 15 35 75**

Musée Picasso
Château Grimaldi
Place Marie Jol
06600 Antibes
T : 04 92 90 54 20

CAPC musée d'art contemporain
Entrepôt, 7 rue Ferrère
33000 Bordeaux
T : 05 56 00 81 50

Musée d'art moderne et contemporain
8, boulevard Maréchal Joffre
66400 Ceret
T : 04 68 87 27 76

Musée de Grenoble
5, place de Lavalette
38010 Grenoble
T : 04 76 63 44 44

Musée d'art contemporain
81, Cité Internationale
Quai Charles de Gaulle
69463 Lyon cedex 06
T : 04 72 69 17 17

Musée d'art contemporain
69, avenue Haïfa
13008 Marseille
T : 04 91 25 01 07

Musée d'art moderne et d'art contemporain
Promenade des Arts
06300 Nice
T : 04 93 62 61 62

Carré d'art
Musée d'art contemporain
Place de la Maison Carrée
30000 Nimes
T : 04 66 76 35 79

Centre Georges-Pompidou
MNAM (Musée national d'art moderne)
75191 Paris cedex 04
T : 01 40 78 12 33

Musée national Picasso
Hôtel Salé, 5 rue de Thorigny
75003 Paris
T : 01 42 71 70 84
ou 63 15

Musée d'art moderne de la ville de Paris
11, avenue du Président Wilson
75116 Paris
T : 01 40 70 11 10

Musée départemental d'art contemporain de Rochechouart
Place du Château
87600 Rochechouart
T : 05 55 03 77 77

Fondation Maeght
06570 Saint-Paul-de-Vence
T : 04 93 32 81 63

Musée d'art moderne La Terrasse
42000 Saint-Etienne
T : 04 77 79 52 52

Espace d'art moderne et contemporain de Toulouse et Midi-Pyrénées
76, allée Charles de Fitte
31300 Toulouse
T : 05 61 59 99 96

Musée d'art moderne
1, allée du Musée
59650 Villeneuve-d'Ascq
T : 03 20 19 68 68

Belgique

Musée d'art contemporain d'Anvers (MUKHA)
Leuvenstraat, 32
2000 Antwerpen (Anvers)
T : 03/ 238 59 60

Musées royaux des Beaux-Arts de Belgique
Musée d'art moderne
Rue de la Régence, 3
1000 Bruxelles
T : 02/ 508 32 11

Musée d'Ixelles
Rue Jean Van Volxem, 71
1050 Bruxelles
T : 02/ 511 90 84

**Musée d'art
contemporain de Gand**
Citadelpark
9000 Gent (Gand)
T : 09/ 221 17 03

**Musée d'art moderne et
d'art contemporain
(MAMAC)**
Parc de la Boverie, 3
4020 Liège
T : 043/ 43 04 03

Musée des Beaux-Arts
Rue Neuve, 8
7000 Mons
T : 065/ 40 53 06

Centres d'art

France

**Centre d'art
contemporain de
Vassivière-en-Limousin**
Ile de Vassivière
87120 Beaumont-du-Lac
T : 05 55 69 27 27

**Centre d'art
contemporain du
Domaine de
Kerguéhennec**
56500 Bignan
T : 02 97 60 44 44

**Centre d'art
contemporain**
35, rue Chambre-de-l'Edit
81100 Castres
T : 05 63 59 30 20

**Magasin-Centre national
d'art contemporain**
Site Bouchayer-Viallet
155, cours Berriat
38028 Grenoble
T : 04 76 21 95 84

**Galerie nationale du Jeu
de Paume**
Place de la Concorde
75008 Paris
T : 01 42 60 69 69

**Le Nouveau Musée /
Institut-FRAC Rhône-
Alpes**
11, rue du Docteur Dolard
B.P. 3077
69605 Villeurbanne cedex
T : 04 78 03 47 00

Belgique

**Centre d'art
contemporain**
Avenue des Nerviens, 63
1040 Bruxelles
T : 02/ 735 66 49

Ateliers créatifs

France

**Il y a certainement près
de chez toi des
personnes qui
organisent des ateliers
créatifs. Pour en savoir
plus, contacte le service
culturel de la mairie.**

Belgique

**Tu trouveras toutes les
informations en
contactant le Secteur
des centres d'expression
et de créativité (C.E.C.).
T : 02/ 413 25 21**

Revues d'art
pour enfants

Dada
Première revue d'art pour
enfants de 6 à 106 ans
Mango-Presse
36, rue Fontaine
75009 Paris
T : 01 49 70 15 55

Le Petit Léonard
Le magazine d'art des plus
de 7 ans
Editions Faton
25, rue Berbisey
21000 Dijon
T : 03 80 40 41 29

Oxebo
Milan Presse
Toulouse
T : 05 61 76 64 64

Index des artistes

N.B. Si tu veux en savoir plus sur
un artiste, une œuvre, un
mouvement, consulte les pages
soulignées.

Index des activités

Récupération

Crédit photo

p.10 Léonard Freed/ Magnum Photos ; Haags Gemeentmuseum ; Carlos Freire/ Rapho • p. 12 Adant / Rapho • p. 20 Brice Toul / Gamma / © Pierre Alechinsky-SABAM Belgique 1997 • p. 21 Bios • p.26 Edimédia / © Fondation Lucio Fontana 1997 • p. 30 Andy Goldsworthy / © Andy Goldsworthy 1997 ; © L&M Services B.V. Amsterdam 970914 • p. 31 Editions Macif / L'Avant-Musée / © Richard Texier –SABAM Belgique 1997 ; Kleinefenn / Sipa Icono / © Claude Viallat-SABAM Belgique 1997 ; Photothèque des collections du MNAM-Cci, Centre Georges Pompidou / © Gaston Chaissac- SABAM Belgique 1997 ; © Zao Wou Ki-SABAM Belgique 1997 • p. 36 Doisneau / Rapho • p. 42 Photo Galerie Maeght, Paris / © Saul Steinberg-SABAM Belgique 1997 • p. 49 Freddy Le Saux, Le Vigan / © David Tremlett 1997 • p. 55 David Nash / © 1997 – David Nash-SOFAM • p. 60 Philippe Migeat / Photothèque des collections du MNAM-Cci, Centre Georges Pompidou, Paris / © Jean Dubuffet-SABAM Belgique 1997 • p. 67 Artephot / Visual Art Library / ©1997-Peter Blake-SOFAM • p. 71 Artephot / Trela / © Fundacion Dolores Olmedo Patino • p. 73 Lauros-Giraudon / ©1997- Frank Stella – SOFAM • p. 78 Artephot / Visual Art Library / © Succession Henri Matisse –SABAM Belgique 1997 • p. 85 Photothèque des collections du MNAM-Cci, Centre Georges Pompidou, Paris / © Wassily Kandinsky- SABAM Belgique 1997 • p. 90 F. Apesteguy / Gamma / © Pierre Alechinsky –SABAM Belgique 1997 • p. 97 Willi Peter / Explorer Archives / © Jiri Kolar- SABAM Belgique 1997 • p. 102 © Koen Wastijn et Johan Deschuymer • p. 103 Philippe Migeat / Photothèque des collections du MNAM –Cci, Centre Georges Pompidou / © Tinguely-SABAM Belgique 1997 • p. 109 © Kikie Crèvecœur • p. 111 Vincent Everarts / ©1997-Andy Warhol-SOFAM • p. 117 AKG Photo Paris / © Joseph Beuys- SABAM Belgique 1997 • p. 123 Photothèque des collections du MNAM-Cci, Centre Georges Pompidou, Paris / © Yves Klein- SABAM Belgique 1997 ; Vera Isler / © Sam Francis-SABAM Belgique 1997 • p. 125 Vaughan Fleming / Science Photo Library / Cosmos ; M. Angelo / Cosmos • p. 130 Michael Friedel / Rapho ; Frédéric Delpech / © Wolfgang Laib 1997 • p. 131 Frédéric Delpech / © Wolfgang Laib 1997 • p. 135 Philippe Fuzeau / © Jorge Orta 1997 ; Photothèque des collections du MNAM-Cci, Centre Georges Pompidou, Paris / © Pierre Alechinsky- SABAM Belgique 1997 ; Droits réservés / © Pierre Alechinsky-SABAM Belgique 1997 • p. 138 BL-Giraudon ; Photothèque des collections du MNAM-Cci, Centre Georges Pompidou, Paris / © 1997- Dan Flavin- SOFAM • p. 144 AKG Photo Paris / © Roy Lichtenstein –SABAM Belgique 1997 • p. 145 J&M Zweert ; Sabena / © Charly Herscovici-SABAM Belgique 1997 • p. 149 Dr Georg Gester / Rapho ; G. Gorgoni / Cosmos / © Courtesy John Weber Gallery ; IRPA-KIK Bruxelles / © Pierre Alechinsky-SABAM Belgique 1997 ; P. Aventurier / Gamma / Daniel Buren-SABAM Belgique 1997 • p. 155 AKG Photo Paris / ©1997-Mark Rothko-SOFAM ; Bridgman-Giraudon / © Edward Munch-SABAM Belgique 1997 • p. 159 Artephot / Jourdain © Mondrian Estate / Holtzman ; Artephot / Jourdain / © Mondrian Estate Holtzman ; Artephot/ Jourdain / © Mondrian Estate Holtzman ; Edimédia • p. 163 Artephot / Archives Klee Fondation / © Paul Klee-SABAM Belgique 1997 ; Alinari-Giraudon / © Lazlo Moholy-Nagy-SABAM Belgique 1997 • p. 167 AKG Photo Paris / © Mondrian Estate Holtzman • p. 171 Giraudon / 1997-Pablo Picasso-SOFAM • p. 175 RMN / ©1997-Pablo Picasso-SOFAM ; Artephot / Hinz / © Marc Chagall-SABAM Belgique 1997 • p. 178 Photothèque des collections du MNAM-Cci, Centre Georges Pompidou / 1997-Jackson Pollock -SOFAM • p. 179 Photothèque des collections du MNAM-Cci, Centre Georges Pompidou, Paris / © Karel Appel-SABAM Belgique 1997 • p. 183 Arnaud Fabre / © Gaston Chaissac-SABAM Belgique 1997 • p. 189 © Courtesy Galerie Michael Werner, Köln et New York • p. 192 Peter Willi / Explorer Archives / © 1997-Pablo Picasso-SOFAM • p. 193 Gelbe Musik, Berlin / © Joseph Beuys-SABAM Belgique 1997 ; © Philippe Geluk • p. 196 Pictures / La Photothèque SDP • p. 197 Giraudon / © Yves Klein-SABAM Belgique 1997 ; Photo Galerie Maeght, Paris / © Giacometti –SABAM Belgique 1997 • p. 200 Photothèque des collections du MNAM-Cci, Centre Georges Pompidou, Paris / © Giorgio Morandi-SABAM Belgique 1997 • p. 201 AKG Photo Paris / ©1997- Andy Warhol-SOFAM • p. 205 P. Lemasurier / Pix ; Alfonsi / Sipa Icono • p. 206 Gamma / © The Estate of Keith Haring • p. 207 Magnani / Liaison / Gamma / © The estate of Keith Haring • p. 210 Vincent Everarts / © Robert Rauschenberg-SABAM Belgique 1997 • p. 211 Vincent Everarts / © Jiri Kolar-SABAM Belgique 1997 ; Artephot / Visual Art Library / © David Hockney, Los Angeles, 1997 • p. 216 AKG Photo Paris / © Miró-SABAM Belgique 1997 • p. 217 Giraudon / © Charly Herscovici-SABAM Belgique 1997 • p. 222 AKG Photo Paris / © Dali-SABAM Belgique 1997 • p. 226 AKG Photo Paris / © Charly Herscovi-SABAM Belgique 1997 • p. 227 Stedelijk Museum Amsterdam / © 1997- Barnett Newman-SOFAM ; Photothèque des collections du MNAM-Cci, Centre Georges Pomidou, Paris / © Guy Dotremont 1997 • p. 229 © Communauté française de Belgique 1997 ; Roger-Viollet / © Casterman • p. 231 © Communauté française de Belgique 1997 • p. 232 Photothèque des collections du MNAM-Cci Centre Georges Pompidou / © Twombly 1997 • p. 233 Photothèque des collections du MNAM-Cci, Centre Georges Pompidou / Juan Miró-SABAM Belgique 1997 • p. 236 Photothèque des collections du MNAM-Cci, Centre Georges Pompidou / © L&M Services B.V. Amsterdam 970914 • p. 237 Vincent Everarts / © Anne et Patrick Poirier-SABAM Belgique 1997 • p. 248 Photothèque des collections du MNAM-Cci, Centre Georges Pompidou, Paris / © Marcel Duchamp-SABAM Belgique 1997 ; Stedelijk museum, Amsterdam • p. 249 AKG Photo Paris • p. 252 Inge Morath / Magnum Photo • p. 263 David Seymour / Magnum Photo • p. 264 Emile Luider / Rapho • p. 265 Photothèque des collections du MNAM-Cci, Centre Georges Pompidou / Marcel Duchamp -SABAM Belgique 1997 ; Photo Galerie Maeght, Paris ; R. Ohanian / Rapho • p. 269 Hans Van Den Bogaard / Hollandse Hoogte • p. 277 AKG Photo Paris ; Collection Viollet ; Photothèque des collections du MNAM-Cci, Centre Georges Pompidou, Paris / © Pierre Alechinsky –SABAM Belgique 1997 et Guy Dotremont 1997 ; AKG Photo Paris.

Les copyrights pour les œuvres reproduites se trouvent chez les artistes, leurs héritiers ou leurs mandataires. En dépit de toutes nos recherches, nous n'avons pas reçu toutes les réponses à nos demandes. Ces informations seront reportées dans les prochains tirages.

Dominique Baudon : p. 119, 202, 212, 250, 253 • Mariska Forrest : p. 118, 172, 228 • Anne Françoise Mortiaux : ces photos ont été réalisées par Anne Françoise Mortiaux dans le cadre d'un projet intitulé "Arts d'école" entrepris par la coordination Education Santé de la ZEP (zone d'éducation prioritaire) de Saint Gilles à Bruxelles en 1996 : p. 33, 35, 74, 180, 235, 254, 191, 199 • Kid's computer club : p. 100, 104 • Académie de Molenbeek : 115, 151, 160 • Le Soir : 46, 224 • Le Ligueur : 50, 59 • Centre de la gravure et de l'image imprimée : p. 115.